REVISTA DA BIBLIOTECA MÁRIO DE ANDRADE

Biblioteca Mário de Andrade, 2012
Foto Sylvia Masini / BAIA / SMC

REVISTA DA BIBLIOTECA MÁRIO DE ANDRADE

— 67 —

BORIS SCHNAIDERMAN | MARTINS, UM EDITOR PAULISTA

A HEMEROTECA DA MÁRIO E A PESQUISA EM PERIÓDICOS

Biblioteca Mário de Andrade · Prefeitura de São Paulo Cultura · Associação Amigos da Biblioteca Mário de Andrade · Imprensa Oficial Governo do Estado de São Paulo · Governo do Estado São Paulo

Sumário

Editorial

Ao comemorar um ano de reabertura das salas e serviços de seu edifício principal, a Biblioteca Mário de Andrade finaliza seus preparativos para a abertura de sua Hemeroteca, a ser instalada à Rua Bráulio Gomes n. 125/139, um edifício de 16 andares que foi cedido à Prefeitura de São Paulo pelo Governo do Estado.

O edifício foi reformado para oferecer condições adequadas de preservação da coleção de periódicos e de microfilmes, bem como de atendimento ao público. Contará com um laboratório de microfilmagem e digitalização para prestar serviços a seus pesquisadores e para reformatar gradualmente seu acervo, de forma a poder disponibilizá-lo em formato digital. Também funcionarão neste Anexo o serviço de guarda e atendimento da Coleção ONU e o Arquivo Histórico da Biblioteca.

A coleção de periódicos da Hemeroteca é constituída por cerca de 2 milhões de fascículos de jornais e revistas, nacionais e internacionais, abrangendo o período que vai do início do século XIX aos nossos dias. É a maior coleção de periódicos da Biblioteca, mas não a única: a Coleção de Obras Raras e Especiais possui cerca de 2 mil títulos e a Coleção de Artes outros 1.200 títulos. Essa vultosa coleção de jornais e revistas passou, durante o período em que a Biblioteca esteve fechada, por um amplo programa de preservação que incluiu avaliação, inventário dos títulos, desinfestação, armazenamento e organização física, e será catalogada e novamente higienizada. Com essas ações, esperamos poder oferecer a pesquisadores e ao público em geral um atendimento de qualidade, à altura do acervo.

Dada a dimensão do acervo, esse programa está em andamento, e representa um esforço conjunto do pessoal de tratamento da informação da Biblioteca e de equipe terceirizada. A meta é preservar as coleções e lhes dar visibilidade. Isso implica ter o acervo catalogado no sistema informatizado e iniciar a digitalização de parte dessas coleções para garantir sua preservação e ampliar o seu acesso. Muitas dessas coleções não podem ser encontradas em outras bibliotecas no Brasil e, em alguns casos, são exemplares únicos no mundo.

Alguns desses projetos já se iniciaram, com o importante apoio da Associação de Amigos e Patronos da Biblioteca Mário de Andrade e de instituições parceiras, mas a Biblioteca precisa continuar contando com recursos orçamentários adequados a suas necessidades e com o respaldo financeiro de outros parceiros para o desenvolvimento de novas frentes de trabalho e para o aprimoramento de seus serviços.

Este número da Revista da Biblioteca Mário de Andrade comemora a abertura da Hemeroteca, esperada há cerca de 50 anos. Para convidar seus antigos públicos a voltarem a pesquisar em seu acervo e, ao mesmo tempo, despertar o interesse de novos públicos, esta edição apresenta como tema do *Dossiê* os periódicos e sua importância para a pesquisa. A seção *Bibliotecas* apresenta um panorama da Hemeroteca da Mário; procura dar uma ideia da riqueza da coleção e estimular sua consulta. Também a seção *Fac-Símile* traz uma joia do acervo, a revista *Avião*, lançada em 1948 como exemplar único. A revista *Avião* poderia ser entendida como um almanaque, um fanzine, uma criação lúdica de um grupo de intelectuais e artistas. É uma iniciativa dentro da linha de poéticas visuais, razão pela qual solicitamos a colaboração de artistas e poetas para uma releitura da publicação. Isso nos permitiu trazer a nossos leitores uma nova criação artística, tão bem-humorada quanto a que lhe deu origem.

Na seção *Fortuna Crítica*, este número da Revista traz estudos e depoimentos sobre o professor, tradutor e crítico literário Boris Schnaiderman. Na seção *Bibliografias*, o destaque foi para um assunto que temos observado despertar grande interesse nesta Biblioteca: as biografias. A Mário de Andrade possui, em suas várias áreas, uma das maiores coleções de biografias do país e há muita procura por esse tema. Para a seção *Memória Editorial* deste número, foi escolhido o editor José de Barros Martins, um dos maiores editores paulistanos. As diversas matérias fazem referência a obras da Mário e trazem ilustrações pertencentes ao acervo da Biblioteca.

MARIA CHRISTINA BARBOSA DE ALMEIDA

Miscelânea

NOTÍCIAS DA BIBLIOTECA

Biblioteca Mário de Andrade reaberta ao público e revitalizada

Em 25 de janeiro de 2011, no aniversário de 457 anos da cidade de São Paulo, a Biblioteca Mário de Andrade, que estivera fechada para obras de restauro e modernização desde dezembro de 2007, foi devolvida à população de São Paulo. A cerimônia de reabertura contou com a presença do prefeito Gilberto Kassab, da vice-prefeita Alda Marcoantonio, do governador Geraldo Alckmin, da Ministra da Cultura Ana de Hollanda, do Diretor da Fundação Biblioteca Nacional Galeno Amorim, de demais autoridades municipais, estaduais e federais, de dirigentes de instituições culturais, de inúmeros escritores, editores, artistas e intelectuais, e do público em geral, somando mais de 3 mil pessoas.

Com isso, as coleções fixas da Biblioteca – Artes, Coleção Geral, Mapoteca e Raros e Especiais – bem como o Auditório e a sala de Atualidades voltaram a ficar disponíveis a todos os interessados, além da Circulante, que havia sido reaberta em julho de 2010. Isso fez com que novos públicos fossem atraídos à Biblioteca, somando-se a antigos frequentadores – estudiosos, pesquisadores, artistas e intelectuais – que se haviam afastado da Biblioteca em seu período de "hibernação".

Projeto de um grupo de pessoas socialmente comprometidas e que sabiam da importância da cultura para o desenvolvimento de um povo, a Biblioteca Mário de Andrade, ao longo de sua trajetória,

formou diversas gerações de estudiosos que aqui vinham para ler, discutir ideias, viver. É vocação da Mário a ação sociocultural, que deve se manifestar não apenas na programação cultural, mas também no atendimento à população.

O apoio e a participação de toda a população na programação cultural e no dia a dia da Biblioteca têm sido fundamentais para consolidar seu processo de revitalização e manter um serviço público digno da cidade de São Paulo. ✓

Reabertura da Biblioteca, em 25/01/2011.
Foto: Sylvia Masini

Projetos de catalogação e digitalização do acervo

Edifício pronto. Equipe qualificada. No entanto, ainda há muito a fazer para dar visibilidade aos tesouros escondidos na Biblioteca, destacando-se a catalogação eletrônica retrospectiva dos acervos, particularmente das obras raras e especiais, da Coleção Geral e de Artes, bem como da coleção de periódicos, constituída de cerca de 3 milhões de fascículos.

Em 2011, a equipe bateu o recorde de livros catalogados, entre os novos e as coleções retrospectivas que só estavam catalogadas em fichas. Foi possível, também, elaborar manuais de procedimentos e cadernos técnicos, indispensáveis à contratação de serviços de terceiros, à padronização de dados e à garantia de qualidade de serviços.

A digitalização de parte dessas coleções também é urgente para garantir sua preservação e ampliar o seu acesso. Muitas dessas coleções não podem ser encontradas em outras bibliotecas no Brasil e, em alguns casos, são exemplares únicos no mundo. Em 2011, com o importante apoio da Associação de Amigos e Patronos da Biblioteca Mário de Andrade, foram elaborados vários projetos para o acervo que, dado o seu vulto, necessitavam de respaldo financeiro de outros parceiros para seu desenvolvimento. Um deles conseguiu o apoio do Programa para Bibliotecas e Arquivos Latino-Americanos da Universidade de Harvard e servirá como projeto piloto: possibilitará a adequação do sistema *Alexandria online* para a catalogação das obras raras e permitirá testar metodologias e procedimentos tanto de catalogação quanto de digitalização de acervos, de acordo com padrões recomendados pela Carta do Recife.

Por esta carta de princípios assinada em 14 de setembro de 2011, um conjunto de representantes de instituições brasileiras, dentre as quais a Biblioteca Mário de Andrade, se comprometem a sustentar uma política pública de digitalização de acervos e procedimentos que definem um espaço colaborativo de trabalho. Seus pontos fundamentais são: compromisso com acesso aberto (público e gratuito), com o compartilhamento das informações e da tecnologia e com a acessibilidade; padrões de captura e de tratamento de imagens; padrões de metadados e de arquitetura da informação dos repositórios digitais e padrões e normas de preservação digital. ✓

Coleção ONU vai ganhar visibilidade no edifício da Hemeroteca

A Coleção ONU é composta por livros e publicações seriadas de grande relevância, publicadas não apenas pela Assembleia Geral da ONU e por seus órgãos subsidiários, como o Conselho de Segurança e a Corte Internacional de Justiça, mas também por cerca de trinta organismos internacionais, dentre os quais destacamos Unesco (Organização das Nações Unidas para a Educação, a Ciência e a Cultura), FAO (Organização das Nações Unidas para Agricultura e Alimentação), Unicef (Fundo das Nações Unidas para a Infância), OIT (Organização Internacional do Trabalho), Unctad (Conferência das Nações Unidas para Comércio e Desenvolvimento), Cepal (Comissão Econômica para a América Latina e o Caribe), dentre outros.

Em 1958, a Biblioteca Mário de Andrade foi designada depositária parcial dessas publicações, ao lado de outras seis bibliotecas brasileiras, a saber: Fundação Biblioteca Nacional, no Rio de Janeiro; Biblioteca da Câmara dos Deputados, em Brasília; Biblioteca da Udesc (Universidade do Estado de Santa Catarina), em Florianópolis; Faculdade de Direito da UFRGS (Universidade Federal do Rio Grande do Sul), em Porto Alegre; Superintendência de Estudos Econômicos e Sociais da Bahia, em Salvador; e Universidade Federal de Viçosa, em Minas Gerais.

Desde aquela data, a Biblioteca recebe as referidas publicações, que tratam sobretudo de questões sociais e econômicas, com destaque para temas como indicadores socioeconômicos, educação, direitos humanos, política internacional, com especial ênfase para a América Latina, política cultural, meio ambiente, apenas para citar alguns dos temas encontrados.

Parte da coleção já se encontra à disposição do público, no espaço da Circulante. Mas pretende-se reunir toda a coleção no novo prédio para que os interessados tenham melhores condições de consulta ao acervo integral. ✓

Reforma do Anexo da Biblioteca Mário de Andrade

Com base em projeto elaborado pelo Escritório Piratininga, em 2006, a reforma do Anexo da Biblioteca Mário de Andrade – um edifício de aproximadamente 6.200 m², onde serão instalados a Hemeroteca, laboratórios de microfilmagem e digitalização, um auditório e espaços adequados de atendimento e exposições – foi iniciada em dezembro de 2009, pela Construtora Cronacon Ltda. A reforma contou com o acompanhamento da arquiteta Denise Canto, da equipe da Biblioteca. O gerenciamento e a fiscalização da obra são da responsabilidade de técnicos da SP-Obras.

A obra faz parte do Programa de Revitalização do Centro da Cidade de São Paulo, que conta com recursos provenientes do BID. O valor inicial do contrato foi de R$ 10.273.936,85 (80% dos recursos do BID e 20% da Prefeitura da Cidade de São Paulo). ✓

Prédio da Hemeroteca, 2012.
Fotos: Sylvia Masini

Ações de preservação e reorganização do acervo de periódicos

A Biblioteca Mário de Andrade é detentora de uma inestimável coleção de Periódicos que abrange publicações desde o século XIX. Muitos desses títulos são considerados documentos primários de inegável valor cultural, histórico e social, e alguns não existem em outras bibliotecas brasileiras, nem mesmo na Biblioteca Nacional do Rio de Janeiro.

Com a finalização, em 2011, do projeto *Preservação da Coleção de Periódicos do Departamento Biblioteca Mário de Andrade*, financiado pelo Programa Petrobras Cultural, que havia sido iniciado em agosto de 2009, o acervo de periódicos que estava armazenado na Biblioteca Prestes Maia, em Santo Amaro, passou por processos de avaliação histórica e cultural, higienização e

Desinfestação da coleção de periódicos, 2012.
Foto: Rodrigo Vasquez

acondicionamento físico. O financiamento permitiu, ainda, a estruturação e desenvolvimento de uma base de dados *online* de periódicos e o início da catalogação e registro das coleções nessa base, que, em dezembro de 2011, contava com 200 mil fascículos. Essa experiência incluiu a elaboração de manuais de procedimentos e permitiu à equipe projetar para 2012 a inserção de mais 720 mil fascículos.

Esse acervo está sendo também submetido à desinfestação geral atóxica, com emprego de atmosfera anóxia, obtida pela substituição do oxigênio por um gás inerte (argônio ou nitrogênio). O sucesso dessa metodologia já havia sido comprovado pela Biblioteca, que em 2009 teve sua coleção geral de livros totalmente desinfestada.

À medida que os periódicos forem sendo desinfestados, serão reunidos na Hemeroteca, onde todo o acervo precisará ser higienizado e em seguida catalogado no sistema de acesso *online*. Instalada no Anexo – antigo prédio do Ipesp (Instituto de Previdência do Estado de São Paulo), que foi cedido pelo governo do Estado e reformado e equipado com recursos do BID (Banco Interamericano de Desenvolvimento) e da Secretaria Municipal de Cultura –, a Hemeroteca poderá oferecer condições adequadas tanto de preservação quanto de atendimento ao público. ✓

Obras Raras da Biblioteca Mário de Andrade em destaque

Com frequência realizaram-se, na Biblioteca, pequenas exposições de obras do acervo, como evento paralelo à programação cultural ou a visitas especiais. Destaque-se, particularmente, a exposição de obras de Blaise Cendrars, com menção especial ao poema *La Prose du Transsibérien et de la petite Jeanne de France*, com aquarela de Sonia Delaunay.

Além dessas mostras, a Biblioteca teve a oportunidade de participar de exposições de seu acervo em outras instituições. Emprestou duas obras raras para exposição durante o Festival Europália 2011, na Bélgica. Dentre outras atrações (dezenas de concertos de música e apresentações de dança, teatro e cinema), o Europália apresentou as exposições *Terra Brasilis* e *Brasil, Brazil*, ambas em Bruxelas, reunindo centenas de peças entre pinturas, gravuras e livros raros, num passeio pela arte e a cultura brasileira desde o século 18 até a modernidade. Da Mário, os

Estação da Luz, São Paulo, 1905.
Foto: Guilherme Gaensly
Acervo BMA

curadores selecionaram as obras *Sertum palmarum brasiliensium*, de João Barbosa Rodrigues (Bruxelles, 1903), e *Macunaíma*, de Mário de Andrade (São Paulo, 1928).

Para a exposição *Guilherme Gaensly, fotógrafo cosmopolita*, com curadoria de Rubens Fernandes Junior, na inauguração da Casa da Imagem (vinculada ao Museu da Cidade de São Paulo), a Biblioteca emprestou o livro *São Paulo*, de Gustavo Koenigswald (1895) e alguns cartões-postais originais do início do século 20, realizados pelo fotógrafo. No mesmo evento foi lançado o livro *Guilherme Gaensly*, uma coedição com a Cosac Naify, onde foram reproduzidas dezenas de imagens originais do acervo da Mário.

No final de 2011, sete importantes conjuntos documentais brasileiros foram nominados para o Registro Nacional do Brasil do Programa Memória do Mundo da Unesco. Dentre eles, a série original de nove álbuns fotográficos da cidade de São Paulo, produzidos entre o final do século XIX e o começo do século XX e pertencentes ao acervo da Biblioteca Mário de Andrade. A entrega dos diplomas a cada instituição aconteceu em evento do Arquivo Nacional, no Rio de Janeiro. ✓

Destaques dos atendimentos

Graças ao compromisso da equipe de atendimento, conseguiu-se, sem reforço de quadro, manter o horário de atendimento ao público na Circulante, na Sala de Atualidades, nas áreas de estudos, no Jardim e na Sala de Convivência de segunda a sexta-feira, das 8h30 às 20h30 e aos sábados, das 10h às 17h. A Biblioteca também permaneceu aberta, com ampla procura do público, nas emendas de feriados. As coleções fixas – Coleção Geral, Mapoteca, Multimeios, Obras Raras e Especiais – funcionam de segunda a sexta-feira das 8h30 às 17h, e ampliou-se o horário da Sala de Artes para o período de 8h30 às 19h. Para responder às necessidades dos usuários, depois de encerrado o horário de atendimento nessas áreas, as obras dos acervos da Coleção Geral e Artes podem ser consultadas no espaço da Circulante. A Biblioteca mantém canais de comunicação com os usuários, destacando-se o "fale conosco" do *site*, *e-mails* das diferentes áreas e caixinhas de sugestões. Com isso, além de facilitar as pesquisas – muitas delas virtuais – e os agendamentos de Raros, Microfilmes e Mapoteca, estimulou-se o relacionamento com os usuários para encaminhamento de críticas e sugestões. Suas propostas eram ouvidas e sempre respondidas. Muitos usuários passaram a colaborar para o aprimoramento do acervo, dos serviços e da infraestrutura. Grande parte das obras sugeridas para compra foram também adquiridas no período, uma demonstração de respeito pela demanda do público. Detentora de coleções que dificilmente podem ser encontradas em outras bibliotecas públicas, a Mário procura oferecer um bom serviço de atendimento à distância. Seus serviços de renovação e reserva por telefone e *e-mail* são amplamente elogiados e os lembretes de devolução, além de serem vistos com simpatia pela maior parte dos usuários, reduzem o número de atrasos. As pesquisas solicitadas por *e-mail* ou telefone são atendidas com a maior rapidez possível, e quando o material pesquisado não está disponível procura-se atender com reproduções em microfilme ou digital, e também consultam-se outras instituições.

Para comprovar a importância de um atendimento de qualidade, os novos funcionários e estagiários de diversos setores da Mário passaram por um rodízio pelas principais áreas de atendimento, medida bastante positiva para o crescimento profissional e para a integração da equipe. ✓

Destaques da programação cultural de 2011

Em 2011 a Biblioteca marcou, efetivamente, presença no panorama cultural da idade. Um dos maiores destaques da programação desse ano foi o ciclo *São Paulo: seus povos e sua música*, que celebrou a abertura total da Biblioteca Mário de Andrade, após uma reforma que a manteve fechada ao público por três anos. Ao mesmo tempo em que comemorou a reabertura da Biblioteca, o ciclo prestou uma homenagem a São Paulo. Teve como objetivo difundir e valorizar a diversidade cultural que caracteriza esta cidade e mostrar como se articulam e se integram os povos que a constituem, apresentando alguns recortes das manifestações que os diferentes grupos de imigrantes têm produzido em São Paulo.

Ofereceu encontros semanais e temáticos – cada um deles dedicado a determinado grupo de imigrantes, com foco na sua riquíssima cultura musical e na sua integração com os demais grupos que formam a cidade. Cada encontro consistia de uma mesa redonda com especialistas no grupo de imigrantes

em questão, seguida de uma apresentação musical representativa daquela comunidade. Essas apresentações, variadas em estilo, resultaram de cuidadosa pesquisa musical empreendida pela curadora musical Anna Maria Kieffer.

Sempre que possível, os especialistas faziam referência ao precioso acervo da Biblioteca Mário de Andrade sobre os diversos grupos de imigrantes que residem na cidade. A menção às obras do acervo tinha o objetivo de criar uma ponte entre o tópico discutido e o conteúdo das obras, de forma a estimular o interesse dos participantes pelo acervo e, consequentemente, levá-los a frequentar seus espaços.

Dada a diversidade de grupos de imigrantes que podem ser encontrados em São Paulo, apenas uma parte deles integrou esse projeto, nesta primeira fase. Escolheram-se, inicialmente, treze comunidades de imigrantes. Tentou-se incluir grupos menores e que chegaram mais recentemente à cidade, além dos "tradicionais", numericamente mais representativos.

Esses encontros foram um sucesso de público e criaram importantes vínculos das diferentes comunidades com a Biblioteca, tanto

ESTAS PÁGINAS E SEGUINTES
Ciclo São Paulo: seus povos e suas músicas, 2011.
Fotos: Glauber Alves

individualmente como por meio de suas associações culturais ou representações diplomáticas.

Outro destaque de todos os anos é o ciclo *Literatura, vestibular e algo mais*, que em 2011 inovou bastante ao incluir algumas obras que não eram exigidas nos vestibulares, com a ideia de tornar o ciclo um espaço de discussão de obras literárias de qualidade, sem os fins utilitários do vestibular.

Por sugestão do Prof. José de Souza Martins e com sua curadoria, a Mário de Andrade promoveu o ciclo *São Paulo de vila a cidade: 300 anos*, que celebrou o terceiro centenário da elevação da vila de São Paulo a cidade por Dom João v, em 1711. O evento, que tratou das áreas de arquitetura, história, música e livros e leitura, reuniu especialistas de renome e trouxe público representativo para quatro encontros na Biblioteca.

O ciclo *Grandes poetas, grandes canções*, com a curadoria de Adélia Issa e Kilza Setti, trouxe à discussão e permitiu a fruição simultânea de dois meios de expressão artística – a poesia e a música –, muito afinado com as propostas que Mário de Andrade apresentava e estimulava.

O ciclo *História(s) da arte*, sob a curadoria do pesquisador Tiago Gil, embora voltado a públicos mais especializados, despertou também a atenção de não especialistas

e procurou chamar a atenção dos participantes para o precioso acervo da Coleção de Artes da Biblioteca.

Retomando uma importante vertente da programação que caracterizava a história da Mário, desenvolveu-se, uma vez por mês, na hora do almoço, o ciclo *Voz e violão*, com Adélia Issa e Edelton Gloeden, que tinha por objetivo trazer o público do centro para usufruir de boa música na Biblioteca, na hora do almoço.

Ainda na linha da fruição musical e com o objetivo de atrair novos públicos para a Biblioteca, foi muito bem sucedida e teve calorosa receptividade a série de concertos que o Quarteto de Cordas da Cidade de São Paulo ofereceu, mensalmente, ao público da Biblioteca.

De setembro a dezembro de 2011, desenvolveu-se na Biblioteca a oficina *Desbloqueando o texto*, sob a coordenação de João Silvério Trevisan, que deu espaço para a criação e discussão de textos literários.

Além dessa programação, a Biblioteca sediou alguns encontros, concertos e *master classes* da programação do 3º Festival Internacional de Violões Leo Brouwer. Realizou saraus, encontros com autores, lançamentos de livros e outros eventos de estímulo à leitura, à reflexão e à criação, bem como o lançamento do número 66 da Revista da Biblioteca Mário de Andrade. ✓

Recursos humanos

CATEGORIA	NÍVEL BÁSICO	NÍVEL MÉDIO	NÍVEL SUPERIOR	TOTAL
Funcionários efetivos (Concursados)	27	23	23	73
Funcionários não concursados (Comissionados)	0	12	23	35
Estagiários				16
Total	27	35	46	124

Ampliação do acervo

TIPO DE MATERIAL	COMPRA		DOAÇÃO		TOTAL		CUSTO DAS COMPRAS
	TÍTULOS	EXEMPLARES	TÍTULOS	EXEMPLARES	TÍTULOS	EXEMPLARES	
Livro	3144	4320	4018	4344	7162	8664	R$ 131.398,30
Periódico	14	30	195	sem registro	209	sem registro	R$ 12.671,15
total							R$ 144.069,45

Disponibilização do acervo no catálogo *online*

Livros

No que diz respeito aos livros, a área de Tratamento da informação trabalha em duas grandes frentes: (1) tratamento técnico dos livros novos destinados às diferentes coleções; (2) catalogação retrospectiva dos livros que ainda estão representados unicamente no catálogo em fichas.

TRATAMENTO TÉCNICO – OPERAÇÕES REALIZADAS					
ANO	REGISTROS INSERIDOS	REGISTROS VALIDADOS	EXEMPLARES INSERIDOS	EXEMPLARES VALIDADOS	TOTAL DE OPERAÇÕES
2011	5.517	4.630	10.639	3.876	24.662

Periódicos

Também em relação aos periódicos, abriram-se várias frentes de trabalho a fim de disponibilizar o acervo *online*: (1) catalogação e inserção de fascículos de coleções retrospectivas do acervo geral; (2) catalogação e inserção de fascículos de coleções do acervo de Artes; (3) catalogação e inserção de fascículos das coleções correntes.

TÍTULOS INSERIDOS				FASCÍCULOS INSERIDOS			
COLEÇÃO GERAL	ARTES	ATUALIDADES	TOTAL	COLEÇÃO GERAL	ARTES	ATUALIDADES	TOTAL
238	49	98	388	97.438	2.039	3.863	103.340

Acervo em dezembro de 2011

ACERVO DE LIVROS CATALOGADOS (NO SISTEMA ONLINE + EM FICHAS) – DISTRIBUIÇÃO POR COLEÇÕES	
COLEÇÕES	TOTAL EM 2011
Circulante	47.321
Referência	3.850
SP	1.446
ONU	1.504
Artes	28.454
Obras Raras	51.014
Coleção Geral	204.642
Total	338.231

ACERVO DE PERIÓDICOS			
	MODALIDADE DE AQUISIÇÃO	QUANTIDADE	TOTAL
Títulos de periódicos correntes	Doação	195	209
	Assinatura	14	
Títulos de periódicos (coleção retrospectiva)	Não se aplica	Não se aplica	9.206
Total geral aproximado de títulos			9.415

ACERVO DE OUTROS MATERIAIS (UNIDADES DOCUMENTÁRIAS) PARCIALMENTE CATALOGADOS	
Artes (vários materiais)	70.000
Mapas	11.980
Multimeios (estimativa)	40.000
ONU (estimativa)	28.000
Total	149.980

Preservação de coleções

Em 2011 foi dado andamento à sistematização e planejamento das atividades de monitoramento ambiental e climático das áreas de armazenamento, higienização e vistorias periódicas ao acervo, confecção de iscas de insetos, e sensibilização dos funcionários em relação aos cuidados com a limpeza e higiene nos locais de acervos e áreas próximas às reservas;

Higienização

HIGIENIZAÇÃO DAS COLEÇÕES	
ACERVOS	QUANTIDADES
Artes	25.000
Coleção Massao Ohno	1.000
Coleção Massao Ohno – Cartazes	6
Coleção Murillo Marx	2.000

Encadernação

2.000 livros, com contratação de empresa especializada

Desinfestação de acervo sob demanada

33 caixas de livros, com contratação de empresa especializada

Outras ações de preservação

SEGURANÇA E PRESERVAÇÃO DE ACERVO	
AÇÕES	QUANTIDADE DE ITENS
Acondicionamento de materiais	26
Colocação de etiquetas antifurto	110.000
Confecção de iscas preventivas contra insetos	950

Atendimento

PÚBLICO DA CIRCULANTE			
ÁREA DE ATENDIMENTO E ACERVO			
Frequentadores	Matrículas	Obras emprestadas	Obras consultadas
159.874	8.808	67.535	102,991

PÚBLICO DAS COLEÇÕES FIXAS – ACESSO CONSOLAÇÃO						
TOTAIS			CG		ARTES	
Frequentadores			Frequentadores	Obras consultadas	Frequentadores	Obras consultadas
Visitas espontâneas	Visitas guiadas	Total				
34.516	3.124	37.672	3.801	4.519	5.334	8.923
MAPOTECA		RAROS		MULTIMEIOS		ATUALIDADES
Frequentadores	Obras consultadas	Frequentadores	Obras consultadas	Frequentadores	Quantidade de microfilmes	Leitores de jornais/revistas
193	483	226	875	111	297	42.185*

* Inclui-se aqui o público de Atualidades atendido, de janeiro a maio na área de Convivência da Circulante.

PÚBLICO DA PROGRAMAÇÃO CULTURAL		
ÁREA DE CONVIVÊNCIA (CAFÉ DA CIRCULANTE)	AUDITÓRIO	TOTAL
633	7.490	8.123

Total de públicos: 205.669

Fortuna Crítica

O tradutor, professor e crítico Boris Schnaiderman é um dos mais importantes intelectuais brasileiros, responsável por traduções pioneiras de obras literárias vertidas diretamente do russo, tanto no campo da poesia como no da prosa. Entre os autores traduzidos por ele estão Maiakóvski, Dostoiévski, Tolstói, Púchkin, Tchékhov. Em sua carreira, tradução e crítica literária andam juntas, em livros como *A poética de Maiakóvski através de sua prosa* e *Dostoiévski: prosa, poesia*. Dentre seus trabalhos de estudos literários, destacam-se *Turbilhão e semente* e *Os escombros e o mito: a cultura e o fim da União Soviética*. Nesta Fortuna Crítica, Boris Schnaiderman ganha retrato crítico e afetivo de Antonio Candido, Aurora Bernardini e Paulo Bezerra, companheiros de aventura intelectual que relembram momentos marcantes de sua vida, de sua atuação como professor universitário e de suas contribuições como tradutor e ensaísta.

Emérito verdadeiro

ANTONIO CANDIDO*

Costumo dizer que no sistema universitário os professores eméritos por excelência são os aposentados que durante a carreira prestaram à instituição serviços além do dever. Conhecer bem a matéria, ser assíduo às aulas, atender realmente os estudantes, formar equipes de especialistas, produzir trabalhos de qualidade são pressupostos da profissão. Constituem um mérito ponderável, mas não passam de cumprimento das obrigações. No entanto, há docentes que, além disso, contribuem para abrir caminhos e sugerir novos rumos, ampliando o conhecimento e fazendo, numa palavra, mais do que lhes é pedido. Boris Schnaiderman é um desses.

A sua atuação na Faculdade de Filosofia, Letras e Ciências Humanas da Universidade de São Paulo foi eminentemente criadora, pois contribuiu de maneira positiva para inaugurar em nível alto um setor da maior importância, até então inexistente: o estudo da língua e da literatura russa, que fundou, completando-o pela atividade de tradutor e formador de tradutores.

Nos anos de 1960 começou a se esboçar na dita Faculdade um interesse renovado pela tradução, que foi aos poucos passando a ter importância. Consultando apenas a memória, a falível memória, lembro os

* Antonio Candido de Mello e Souza é crítico literário e professor aposentado do Departamento de Teoria Literária e Literatura Comparada da Universidade de São Paulo, autor de *Formação da literatura brasileira:* momentos decisivos, *Literatura e sociedade*, *A educação pela noite* e *O discurso e a cidade*, entre outras obras.

esforços de colegas como Victor de Almeida Ramos e Francis Aubert no sentido de promovê-la e dignificá-la. No caso de Boris Schnaiderman isso tinha cunho especial, porque seu magistério envolvia uma das maiores literaturas do Ocidente, com certa presença na cultura brasileira; no entanto, ao que eu saiba, praticamente não dispúnhamos em vernáculo de textos confiáveis vertidos do original.

Até pouco mais de meio século atrás o Brasil era dependente quase total da cultura francesa, de modo que os autores russos eram lidos aqui em francês, ou em retraduções do francês. As traduções vindas da França eram às vezes feitas por russos residentes lá, mas parece que também eles procuravam adaptar-se ao gosto local, inclinado à sobriedade, à concisão, ao "decoro" (*bienséance*). Daí a tendência para desbastar e mesmo abreviar os textos, que podia chegar a extremos, como foi o caso de *Os irmãos Karamázov*, lido na França e no Brasil numa espécie de resumo devido a Halpérine-Kaminski, que, aliás, registrou lealmente na folha de rosto: "adaptação". No entanto, foi esta versão mutilada que fascinou Gide e Proust, assim como os leitores brasileiros, inclusive meu pai, cujo autor predileto era Dostoiévski e só no fim da curta vida tomou conhecimento do texto integral na tradução inglesa de Constance Garnett. Mas mesmo quando não se chegava a essa duvidosa operação de plástica literária, creio que Dostoiévski era vertido na França de maneira pouco satisfatória pelos diversos tradutores, entre os quais lembro no momento os nomes de Dérély e Bienstock. Só a partir de 1928 ou 29 começaram a ser publicadas versões provavelmente mais rigorosas, com base nos textos fixados pelas edições russas oficiais. E por falar em Constance Garnett, menciono que a partir dos anos de 1930 suas traduções de diversos autores russos começaram a aparecer no Brasil. Não sei se eram melhores do que as francesas iniciais, mas davam a impressão de serem mais íntegras.

No entanto, para continuar com Dostoiévski, parece que sua grandeza foi sempre evidente para o leitor brasileiro, fossem as traduções boas ou más, o que leva a supor que uma das marcas de um escritor realmente grande é o fato de seus textos sobrenadarem, mesmo quando traduzidos de maneira insatisfatória. É o que podemos verificar, por exemplo, lendo em línguas estrangeiras que conhecemos certas traduções menos felizes de Guimarães Rosa.

No entanto, é claro que, quanto melhor a tradução, tanto mais próximo estará o leitor da verdade e da beleza do texto original; e é o que devemos à geração mais recente de tradutores do russo, entre os quais Boris Schnaiderman se destaca, por causa das que fez e das que fizeram os especialistas que formou. E se estou dando destaque a Dostoiévski, é pela atenção que ele sempre deu a sua obra, não apenas nas versões, que fazem sentir em português um sopro de grande escrita, mas por lhe haver dedicado estudos importantes. Isso leva a observar que, além da contribuição como tradutor, é preciso lembrar sua obra crítica propriamente dita, inclusive a reflexão teórica sobre a natureza e os problemas do traduzir.

Boris Schnaiderman.
Foto: Sergio Guerini

É exemplar, a esse respeito, seu livro mais recente, *Tradução, ato desmedido*, cabendo dar relevo à parte inicial, intitulada "Caleidoscópio do tradutor", construída de modo singular e ocupando cerca de um terço do volume. Escrito com naturalidade encantadora, é um mosaico de textos breves que, à primeira vista, dão ideia de um passeio caprichoso, fluindo ao sabor das associações, sem rumo definido nem costura ordenadora. É engano, pois ele tem uma diretriz que lhe dá coerência e constitui verdadeira discussão de cunho teórico sobre os obstáculos que o tradutor enfrenta. Assim, o que à primeira vista poderia parecer um caderno de anotações soltas é de fato uma densa reflexão. Como pressuposto, Boris enuncia em dado momento do livro um axioma que parece sobrevoá-lo como limite paralisador, mas, no entanto, é, no fundo, o maior estímulo para o verdadeiro tradutor: "A tradução perfeita não existe".

Por isso mesmo, é preciso fazer o que ele faz neste livro: averiguar quais são os problemas que justificam esta sentença e quais os meios de resolvê-los, na medida do possível. Com isso, sentimos que se a tradução for um "ato desmedido", é antes do mais porque consiste no

Turbilhão e semente: ensaios sobre Dostoiévski e Baktin, de Boris Schnaiderman. São Paulo: Duas Cidades, 1983.
Acervo BMA

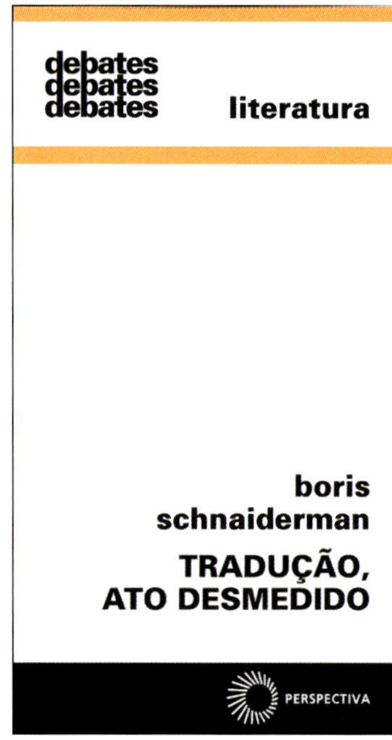

Tradução, ato desmedido, de Boris Schnaiderman. São Paulo: Perspectiva, 2011.
Acervo BMA

esforço de traduzir o que pode ser intraduzível. Mas, assim como o verso final de *O cemitério marítimo*, de Paul Valéry, sugere que apesar de tudo é preciso fazer a tentativa de viver, o tradutor tem de fazer o mesmo com a de traduzir.

São numerosos os textos do livro que ajudam a qualificar este esforço. No "Caleidoscópio" a safra é boa para o leitor, inclusive porque o autor se aproxima dele por meio do tom pessoal, quase íntimo, que mistura à reflexão teórica pormenores da sua experiência de vida. Exemplo disso é a discussão sobre a falta eventual de equivalência real na função de vocábulos iguais em línguas diferentes, que Boris ilustra pela leitura de Jorge Luis Borges, segundo o qual a palavra "amor" não pode ser usada do mesmo modo em francês e (dizemos nós) em português, pois não é possível falar, como os franceses, que "amamos" bife com arroz... Daí a necessidade de efetuar certas transgressões lógicas para sugerir melhor o significado justo. Noutra passagem, mostra que em alguns casos é preciso renunciar à correspondência semântica a fim de obter algo mais importante: a correspondência do tom. E deste modo vai clareando a matéria com evocações da infância, das leituras, dos erros e acertos na faina de traduzir. Isso não só no "Caleidoscópio", mas por todo o livro, no qual há escritos de outra natureza que reforçam a preocupação central, como é o caso do importante ensaio "*Hybris na tradução, hybris na análise*", segundo o qual os problemas que podem interferir no pleno êxito do tradutor existem também na prática da análise literária. É o que está claro no tratamento crítico magistral de uma epígrafe do conto "A dama de espadas", de Púchkin, que não vou comentar; quero apenas registrar a exatidão do que diz Boris sobre o caráter falível da análise de poemas, tão *impossível* em termos absolutos quanto a tradução.

Segundo ele, "o trabalho do analista tem algo de paradoxal, é como lidar com uma tarefa que se sabia de antemão impossível". E afirma: "A cada análise de um texto realmente poético, novos caminhos se descortinam e toda análise pede outra análise, como se os véus se multiplicassem ao infinito". Por isso, cada tentativa mostra erros das anteriores e não raro um aluno percebe melhor o que não tínhamos percebido.

Estas ponderações são exatas, como sabem os professores de literatura no dia a dia do ofício, e servem para fechar o arco iniciado com o axioma que citei. A perfeita tradução é inatingível, como é inatingível a análise perfeita do poema, mesmo porque todo poema é plurissignificante por natureza.

No entanto, a dignidade do trabalho do tradutor e do analista se configura na tentativa de chegar perto da equivalência e do entendimento perfeitos. Eles sabem que não conseguirão o ideal, mas nem por isso deixam de empurrar incessantemente até o topo do morro a pedra de Sísifo, certos de que ela rolará mais uma vez de volta morro abaixo, a fim de que eles recomecem a luta sem fim. Com isso cumprem o dever de criar um possível dentro do impossível, como deixa claro este belo livro de Boris, fruto de uma vida cheia de êxitos que ele pode considerar relativos, mas que nos têm enriquecido singularmente.

A coragem e o equilíbrio – Boris Schnaiderman professor e crítico refratário às paixões súbitas[1]

AURORA FORNONI BERNARDINI*

Conheci o professor Boris Chnaiderman na década de 1960. Primeiro pelos inúmeros artigos sobre literatura russa que ele escrevia no Suplemento Literário do jornal *O Estado de S. Paulo*, pelos quais eu, ainda colegial e já cativada por aquele estranho mundo de estepes nevadas e corações ardentes, me sentia fascinada. Depois, em 1963, como aluna do Curso Livre de Língua Russa, que havia sido iniciado por ele na USP e no qual eu me havia matriculado, após terminar a licenciatura em Anglo-Germânicas.

Era uma época de intensas leituras e buscas espirituais, em que cada um de nós procurava sua explicação das contradições desse mundo. Era uma época, também, de grande efervescência para os estudantes da USP da Maria Antonia, em frente ao Mackenzie. Política universitária, JUC (Juventude Universitária Católica), Polop (Política Operária), AP (Ação Popular), PC (Partido Comunista), reuniões, congressos, ampliações, composições, demonstrações, chapas, bancadas, aparelhos: a nomenclatura é vasta. Aprendíamos as primeiras lições práticas da democracia e nos preparávamos para ir ao Norte,

* Aurora Fornoni Bernardini é professora do Departamento de Letras Orientais da USP, tradutora e autora de ensaios sobre literatura russa e italiana e teoria literária.

1. Uma versão ampliada deste artigo foi publicada originalmente como "Discurso de saudação", no boletim da Faculdade de Filosofia, Letras e Ciências Humanas da Universidade de São Paulo (São Paulo: SDI/FFLCH/USP, 2002), por ocasião da cerimônia de outorga do título de Professor Emérito a Boris Schnaiderman.

nas férias, alfabetizar uma comunidade pelo método de Paulo Freire, quando se deu o golpe. Não foi propriamente uma surpresa. Indícios houve, e muitos, mas não queríamos acreditar. O resto é sabido.

Obviamente, para quem lidasse com qualquer coisa referente à Rússia, naquele tempo, a probabilidade de vir a ser interpelado era apenas um pouco maior. Lembro-me do pasmo que nos acometia quando ouvíamos as informações da queima de livros russos em praça pública, do fechamento das poucas livrarias que os importavam, das buscas nos apartamentos e nas universidades: como entender esse fato, da noite para o dia?

Em 1969, já como auxiliar de ensino, encontrava-me uma noite no Prédio de História e Geografia da Cidade Universitária (para lá haviam sido transferidos os cursos da Maria Antonia, após a invasão do "pessoal" do Mackenzie, em 1968), quando começou a correr a voz pelas salas de que o professor Boris Chnaiderman (só mais tarde seu sobrenome passou a ser grafado Schnaiderman) havia sido preso. Suspendemos imediatamente as aulas e corremos para o grande pátio interno do prédio. De fato, parecia que estavam procurando alguém entre os alunos, ou podia ser simplesmente uma missão de intimidação, como muitas outras. Um dos militares disse: "Parece que o professor se alterou e foi recolhido ao Dops". A essa altura, alguns dos alunos que estavam assistindo à aula dele já tinham chegado ao pátio e nos haviam contado o acontecido. O professor Boris estava escrevendo na lousa, quando entrou na sala um grupo de militares armados, para efetuar a tal busca. Ao que o professor simplesmente observou: "Nós estamos aqui com giz e apagador e os senhores vêm interromper a aula armados de metralhadora?". Conhecedora da extrema calma do professor Boris e de sua coragem moral, tive certeza de que era essa a "alteração" a que se referia o militar e que, portanto, era possível insistir para que o professor fosse "libertado" o quanto antes.

Procuramos o chefe da operação e lhe repetimos a versão relatada pelos estudantes, tentando fazer com que ele aceitasse que se tratava de uma mera constatação e jamais de uma provocação. O professor Boris jamais faria uma coisa dessas.

Relutando, mas depois convencido pela insistência e pelos apelos dos alunos que se haviam juntado, um dizendo que a mulher dele estava em casa passando mal, outro que a filha estava chorando, o fato é que o capitão nos disse: "À meia-noite podem vir buscá-lo". Decidimos que alguns de nós iriam até a casa do professor para tranquilizar a família e que eu tentaria ir buscá-lo à meia-noite no Dops (Departamento de Ordem Política e Social). De fato, assim foi. Naquela época, usava-se avental para dar aula, e eu me lembro que, naquele avental branco, sentia-me como numa armadura, de modo que me apresentei numa das salas mal iluminadas do andar térreo daquele mal afamado prédio como se estivesse fazendo algo rotineiro e reconhecidamente regular. Disse ao funcionário que me atendeu que vinha autorizada pelo Capitão x (não me lembro de seu nome), que nos assegurara que à meia-noite poderíamos levar o professor Boris Chnaiderman, o qual tinha estado prestando depoimento numa das dependências do local. O funcionário disse-me que esperasse e, quando saiu pela porta da parede dos fundos de sinistros tijolos vermelhos meio carcomidos pelo tempo e pelo descuido, só então reparei como ele era grande e estranho. Um torturador? Perdi-me por algum tempo nessas fantasias, quando ele voltou e com um ar sensibilizado me disse: "Parece que não será possível a senhora levar o professor. Parece que ele se alterou". Então, passei a insistir, muito pacata, mencionando várias vezes a família, os filhos pequenos, a cordura, o sentido de dever e dignidade do professor e, principalmente, insistindo na palavra dada pelo capitão, que havia participado da "operação", presenciando tudo o que eu dizia, e que havia garantido a soltura da "testemunha", a quem pedi para ver, antes de ir embora. Passou-se mais de uma hora de espera, depois da qual, pela mesma porta do fundo, entraram o funcionário e outra pessoa em mangas de camisa, pessoa esta que se dirigiu a mim nesses termos: "A senhora está procurando o professor vestido assim, igualzinho à senhora? Pode ir, ele está lá". Como ele apontava para os lados da Estação Sorocabana, agradeci cheia de gravidade e saí, a pé mesmo, no meio da neblina daquela hora da madrugada. Dei uns cem passos, bastante incrédula, e já estava desistindo quando o professor Boris despontou na praça como do meio das nuvens, de cachecol e avental branco. Fomos para o carro, onde, com a maior naturalidade, contou-me que realmente fora interrogado, mas que, quando quiseram que ele provasse seu patriotismo, se não me falha a memória, cantando o hino nacional, ele respondeu, calmamente, que a maior prova de patriotismo ele havia dado antes que eles nascessem, como expedicionário da FEB (Força Expedicionária Brasileira), quando, como voluntário, fora com os pracinhas brasileiros lutar na Itália. Diante de respostas desse teor, o interrogatório durou pouco. Ele dobrou seu cachecol, colocou-o embaixo da cabeça e preparava-se para dormir, quando vieram lhe dizer que ele podia ir e que agora estava tudo em ordem.

Além de compartilhar com o professor Boris a paixão pela literatura russa, aproximava-nos muito o interesse pela Itália, de onde eu viera, e que ele conhecera *in loco* durante a resistência ao fascismo, como sargento de artilharia da FEB (controlador vertical de tiro), nos últimos meses da Segunda Guerra. Foi com sofreguidão que comecei a ler *Guerra em surdina*, ainda na sua primeira edição, da editora Civilização Brasileira[2]. Lembrava-me dos nomes das cidades por onde sua unidade tinha andado quando eu ainda era uma recém-nascida. Queria confrontar suas experiências com as minhas lembranças e preciso dizer que muito me surpreendeu, na época, a minuciosa sobriedade com que o livro fora escrito.

Boris Schnaiderman na cerimônia de entrega do título de Professor Emérito da FFLCH/USP, 2001. Acervo CAPH – FFLCH

Essa mesma sobriedade fora encontrada pelos componentes de sua banca de doutoramento. Ao analisar seu trabalho *A poética de Maiakóvski através de sua prosa* (publicado em 1971, pela editora Perspectiva, com o mesmo nome)[3], lembro que o professor Rui Coelho se admirava com a modéstia do candidato, sóbrio a ponto de "esconder sua tese nas notas de rodapé!". Não apenas para nós, estudiosos de literatura russa, o livro de Maiakóvski foi uma sensação. Sucediam-se discussões, referências e até espetáculos inspirados na autobiografia sintética *Ia sam* (Eu mesmo), na relação do poeta com

2. SCHNAIDERMAN, Boris. *Guerra em surdina*. Rio de Janeiro: Civilização Brasileira, 1964. (4. ed. rev., São Paulo: Cosac & Naify, 2004.)

3. SCHNAIDERMAN, Boris. *A poética de Maiakóvski através de sua prosa*. São Paulo: FFLCH/USP, 1970. (Tese de Doutorado). SCHNAIDERMAN, Boris. *A poética de Maiakóvski através de sua prosa*. São Paulo: Perspectiva, 1971.

Lili Brik e nas suas entrevistas. Numa delas, concedida a Michael Gold – escritor norte-americano conhecido na época –, ainda confiante no futuro glorioso do cubo-futurismo, dizia o poeta: "A arte deve ter uma destinação determinada. E eis a lei da nova arte: nada de supérfluo, nada sem destinação. Eu arranquei da poesia as vestes da retórica; eu voltei ao essencial. Estudo cada palavra e o efeito que desejo produzir com ela sobre o leitor: é o que fazem as pessoas que escrevem os anúncios de vocês. Eles não querem gastar em vão uma só palavra – tudo tem que ter sua destinação". Se, por um lado, isso prenunciava a percepção da repercussão que haveria de ter no mundo o tipo de propaganda americano "centrado no produto", por outro, levava a um texto de que o professor Boris gostava muito: "Como fazer versos?", o ensaio teórico mais longo de Maiakóvski, onde ele analisava os dados indispensáveis para um trabalho poético e que Boris Chnaiderman gostava de sintetizar com um verso do poeta, "*eu piso a garganta de meu canto*".

A colaboração entre os "Irmãos Campos" e Boris Chnaiderman é um capítulo muito importante em nossa vida acadêmica. A partir da publicação, pela editora Civilização Brasileira, em 1968, de *Poesia russa moderna*[4], sua principal obra escrita em colaboração (ora o professor Boris, realizando a tradução linear que seria retrabalhada, ora revendo a recriação dos poemas), a poesia russa – talvez a maior de todas as artes russas, como lembra o professor no prefácio – tornou-se, de algum modo, artigo de exportação, no Brasil. De Alexandr Blok a Guenádi Aigui, as traduções têm encantado gerações. Desfilam sob nossos olhos atônitos os simbolistas, os futuristas, Velímir Khlíebnikov com seus poemas decisivos como "Encantação pelo riso", "Bobeóbi", "Louvação do Ele"; Maiakóvski, com "Lílitchka!" e "Balaláika"; Pasternak, com seu "Hamlet" (na recriação definitiva de Augusto de Campos, que decoramos), e Marina Tzvetáieva, a quem conheci primeiramente na recriaçao de seu poema por Haroldo de Campos, "A Vladímir Maiakóvski", que inspirou minha tese de Livre-Docência.

4. *Poesia russa moderna*; traduções de Augusto e Haroldo de Campos; com a revisão ou colaboração de Boris Schnaiderman. Apresentação, resumos biográficos e notas de Boris Schnaiderman. Rio de Janeiro: Civilização Brasileira, 1968. (6. ed. rev. e ampliada, São Paulo: Perspectiva, 2001.)

Boris Schnaiderman, Francis Aubert e Aurora Bernardini na cerimônia de entrega do título de Professor Emérito da FFLCH/USP, 2001.
Acervo CAPH – FFLCH

Depois, os construtivistas, os formalistas, os inconformistas... Este filão da poesia russa tem sido levado adiante com grande desvelo por Boris Chnaiderman, que publicou há pouco, pela Editora 34, em 1999, com Nelson Ascher, uma coletânea de poemas de Aleksandr Púchkin e mais a tradução revista de grande parte de sua prosa – *A dama de espadas:* prosa e poemas[5] – premiado com o Jabuti daquele mesmo ano.

Aleksandr Púchkin, Fiódor Dostoiévski, Liev Tolstói, Anton Tchékhov. Os grandes clássicos da literatura russa têm sido revisitados com uma atenção sempre maior pelo professor Boris e seus orientandos. Lembramos aqui, tão somente, os primeiros que foram alunos do Curso de Russo: Helena Sprindys Nazário, com um trabalho sobre Púchkin e *A filha do capitão* (publicado pela Ed. Perspectiva); Jasna Paravich Sarhan, com uma tese sobre "A dama de espadas"; Rubens Pereira dos Santos, com "As reminiscências de Máximo Górki sobre Tolstói" (publicadas em 1983 pela Perspectiva com o título de *Leão Tolstói*); Paulo Dal-Ri Peres, com uma tese sobre "A enfermaria n.6", de Tchékhov; Sophia Angelides, com a correspondência de Tchékhov

5. PÚCHKIN, Aleksandr S. *A dama de espadas*: prosa e poemas; trad. de Boris Schnaiderman e Nelson Ascher. São Paulo: Editora 34, 1999. (2.ed., 2006)

Boris Schnaiderman e Francis Aubert na cerimônia de entrega do título de Professor Emérito da FFLCH/USP, 2001. Acervo CAPH – FFLCH

(publicada em parte pela Edusp, como *A. P. Tchékhov:* cartas para uma poética, em 1995)[6].

Quanto a Dostoiévski, além das traduções que marcaram nossa época e dos inúmeros artigos sobre ele, o autor foi objeto, ainda na década de 1970, de um dos primeiros cursos de pós-graduação de análise de estruturas narrativas, em Teoria da Literatura e Literatura Comparada, cujo responsável era Boris Chnaiderman. O programa "Os contos de Dostoiévski" era sudividido em 12 tópicos, cujo sumário ainda guardo.

Este curso acompanhou a tese de Livre-Docência de Boris Chnaiderman, "Dostoiévski entre a Prosa e a Poesia", depois transformada no livro da editora Perspectiva *Dostoievski:* prosa, poesia (que recebeu o prêmio Jabuti de 1982)[7], em que o autor, exemplificando com a tradução de "O senhor Prokhartchin" – um conto de 1846,

6. PÚCHKIN, Aleksandr S. *A filha do capitão*; trad. de Helena Sprindys Nazário. São Paulo: Perspectiva, 1981; SARHAN, Jasna Paravich. *A dama de espadas*: um jogo fantástico. São Paulo: FFLCH/USP, 1986. (Tese de Doutorado); GORKI, Máximo. *Leão Tolstói*; trad. de Rubens Pereira dos Santos. São Paulo: Perspectiva, 1983; PERES, Paulo Dal-Ri. *Discurso psiquiátrico e anti-psiquiátrico de Tchekhov em sua manifestação literária*. São Paulo: FFLCH/USP, 1985. (Tese de Doutorado); ANGELIDES, Sophia. *A. P. Tchékhov*: cartas para uma poética. São Paulo: Edusp, 1995.
7. SCHNAIDERMAN, Boris. *Dostoievski*: prosa, poesia; o senhor Prokhartchin. São Paulo: Perspectiva, 1982.

escrito quando Dostoiévski tinha 26 anos –, defende a tese da ligação entre a linguagem poética e o universo ficcional dostoievskiano e, do ponto de vista da teoria da tradução, mostra como é essencial conseguir recriar o espírito e mesmo, muitas vezes, a forma original.

Entre as muitas e insubstituíveis traduções de Boris Chnaiderman, está a de *Khadji-Murat*[8], uma novela de Tolstói à qual ele se refere no livro que ficou conhecido sinteticamente como *Prosapoesia*. "Toda esta novela está construída sobre uma metáfora: no início, o autor conta como certa vez, regressando para casa através dos campos recém-lavrados, viu um tufo de flor, que fora pisado por uma roda, mas se erguera, persistente em seu afã de vida. Lembrei-me então de uma velha história caucasiana que presenciei em parte e que eu completei com o depoimento de testemunhas oculares". Segue-se depois – diz Boris – a história de Khadji Murat, o chefe caucasiano rebelde, morto no fim. "E esta foi a morte que a bardana esmagada, em meio do campo lavrado, me fez lembrar".[9]

Esta novela compacta, de estrutura fechada, embora em diversos planos, construída em volta da "vitalidade humana, em luta contra a opressão e a violência dos mais fortes", quando comparada ao mundo caótico dostoievskiano de, digamos, *Os irmãos Karamázov*, seria, segundo Bakhtin, citado por Boris, um exemplo do monologismo de Tolstói *x* o dialogismo de Dostoiévski, ligado à polifonia. E aqui entram as reflexões de Boris sobre a evolução do próprio Bakhtin, a quem teve a oportunidade de conhecer pessoalmente, por ocasião de sua visita a Pierediélkino (Rússia), em 1972.

Em sua coletânea de ensaios sobre Dostoiévski e Bakhtin, *Turbilhão e semente*[10], o autor acompanha as modificações das visadas de Bakhtin em relação à obra de Tolstói, particularmente no texto "A palavra no romance", escrito desde 1934, mas publicado na íntegra em 1975 (em português, saiu em *Problemas de literatura e de estética*)[11]. Diz ele: "Se um leitor acompanha a obra de Bakhtin em

8. Tolstói, Léon. *Khadji-Murát*; prefácio, notas e tradução Boris Schnaiderman. São Paulo: Cultrix, 1987. (2.ed., São Paulo: Cosac Naify, 2009.)

9. Tolstói, Léon. *Khadji-Murát*. 2.ed., *op.cit.*, p. 220.

10. Schnaiderman, Boris. *Turbilhão e semente*: ensaios sobre Dostoiévski e Bakhtin. São Paulo: Duas Cidades, 1983.

11. Bakhtin, Mikhail. *Problemas de literatura e de estética*: a teoria do romance. São Paulo: Hucitec/Unesp, 1988.

seu desenrolar, (...) torna-se claro que, para o teórico, no conjunto de seus trabalhos, existem diferentes níveis de dialogismo e, assim, a ênfase no Tolstói monológico, no pregador religioso e social, não elimina o fato de que há em sua ficção um dialogismo bem evidente, como na obra de qualquer grande escritor, conforme Bakhtin passa a admitir, quando deixa de lado a dicotomia estabelecida no livro sobre Dostoiévski"[12]. E, ainda, na mesma página: "Em mais de uma ocasião, Bakhtin manifestou violenta oposição ao Formalismo Russo, mas a ocorrência de elementos teóricos desta corrente no livro sobre Dostoiévski (*Problemas da poética de Dostoiévski*, que saiu pela Editora Forense Universitária em 1981 na tradução de Paulo Bezerra)[13] é de uma evidência palmar. A própria noção de dialogismo já fora expressa nas discussões da época". Então Boris cita Iakubínski e "As caretas do diálogo", Vinogradov e seu livro sobre Anna Akhmátova, e o fundamental *Gógol e Dostoievski:* para uma teoria da paródia, de Iúri Tynianov[14].

Aqui está um exemplo de Boris Chnaiderman crítico, atento, cuidadoso, refratário às paixões súbitas que levam à adesão ou rejeição imediatas. Sabe estabelecer relações e discutir com os autores e, uma vez feito o balanço, reconhecer o que eles têm de mais ou menos válido.

Isso pode ser notado com igual clareza no último livro de Boris Chnaiderman, *Os escombros e o mito:* a cultura e o fim da União Soviética[15]. Iniciado sob o impacto do processo da *glasnost* e retomado depois de várias tentativas abandonadas, o livro é uma reflexão sobre os últimos anos da vida cultural soviética. Fruto de pesquisas minuciosas, inclusive em várias bibliotecas europeias, retrata, nas primeiras páginas, o impasse no qual se encontra, ainda hoje, a ex-URSS. Segue um excerto de 1991 do escritor Anuar Alimjanov, por ele citado: "Minha geração foi educada, desde o nascimento, na base dos planos quinquenais, e nós não duvidávamos de que a cada quinquênio

12. SCHNAIDERMAN, Boris. *Turbilhão e semente, op.cit.*, p. 72.

13. BAKHTIN, Mikhail. *Problemas da poética de Dostoiévski*; trad. de Paulo Bezerra. Rio de Janeiro: Forense-Universitária, 1981. (5.ed., 2010)

14. Texto publicado em Moscou, 2002, ainda sem tradução ao português.

15. SCHNAIDERMAN, Boris. *Os escombros e o mito*: a cultura e o fim da União Soviética. São Paulo: Companhia das Letras, 1997.

ficávamos mais próximos do único objetivo sagrado – o comunismo. Mas, o último quinquênio destruiu todas as ilusões, mesmo entre os idealistas mais firmes. Admitamos que os ideais eram mentirosos, mas ainda assim, a provação é difícil; perdeu-se a fé que nos fazia viver, foi colocada uma cruz em cima dos objetivos para os quais avançamos". E, concluindo, com uma intervenção do mesmo escritor, doze meses depois, na última sessão do Soviete Supremo da URSS: "Nós sabemos o que perdemos. Mas ainda não temos consciência do que vai acontecer".

Quase prenunciando a constatação de Boris, em face ao caos cultural: "Os mesmos expoentes da intelectualidade que estiveram empenhados durante muitos anos na preservação dos valores morais contra a barbárie institucionalizada, lutam agora pela preservação daqueles valores diante das ameaças de um capitalismo predatório. Mas, conforme notícias recentes, a situação agravou-se ainda mais com a inundação do mercado por *best-sellers* americanos, livros de pornografia, horóscopos etc. Alguns correspondentes estrangeiros chegaram a afirmar que o livro de cultura tinha simplesmente acabado na Rússia, o que é um exagero evidente, pois um patrimônio cultural como aquele não se anula de uma hora para outra".

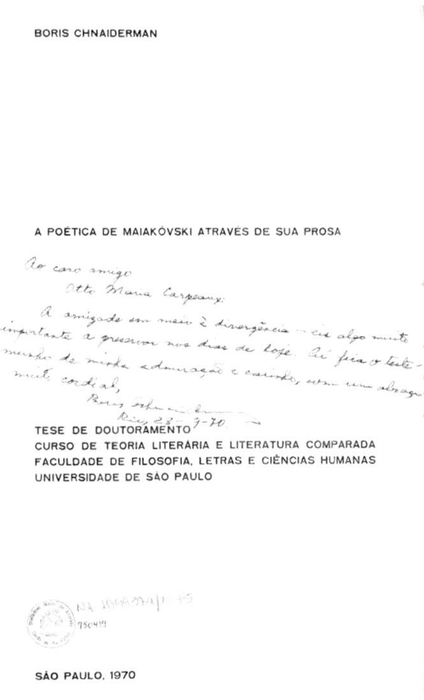
BORIS CHNAIDERMAN

A POÉTICA DE MAIAKÓVSKI ATRAVÉS DE SUA PROSA

TESE DE DOUTORAMENTO
CURSO DE TEORIA LITERÁRIA E LITERATURA COMPARADA
FACULDADE DE FILOSOFIA, LETRAS E CIÊNCIAS HUMANAS
UNIVERSIDADE DE SÃO PAULO

SÃO PAULO, 1970

A poética de Maiakóvski através de sua prosa, por Boris Chnaiderman. São Paulo: FFLCH/USP, 1970. (Tese de Doutorado) Com dedicatória do autor a Otto Maria Carpeaux.
Acervo BMA

Mas não é apenas da terrível ambiguidade da situação dos escritores soviéticos durante o estalinismo que trata a parte do livro dedicada especificamente à literatura, e aí desfilam Óssip Mandelstam, Aleksandr Tvardóvski, Mikhail Bulgákov e o jdanovismo que, iniciado em 1946, se encarniçou em primeiro lugar, sobre Anna Akhmátova e Mikhail Zóschenko. Tampouco trata apenas da sanha que se abateu sobre Iúri Oliétcha, o grupo dos Oberiúty, Isaac Bábel, Meyerhold e D. S. Mirsky, entre outros, cujo destino todos choramos; nem apenas dos emigrados russos e dos "ressuscitados". O que o livro traz também é uma riquíssima informação sobre os textos literários aparecidos a partir de 1985.

A famosa literatura "entre ficção e a História", até então guardada na gaveta, pois os fatos históricos eram reconhecíveis e passíveis de censura, apesar de ficcionalizados, com o advento da Perestroika difundiu-se mundo afora, e Boris, leitor atento, analisa agudamente a maior parte de seus representantes: Anatóli Ribakóv e "Os filhos da rua Arbát"; Vassíli Grossman e "Vida e destino"; Sacha Sokolóv e a "Escola de bobos"; Andréi Bítov e "A casa de Púchkin"; Vassíli Aksionov e "Sviiásk"; A. M. Piatigórski e "A filosofia de um eco ou História da existência ainda não concluída de um filósofo russo, contada pelo autor e também por alguns outros mais ou menos filósofos russos"; e ainda "Contos de Kolimá", de Varlam Chamalov, que dialoga com "O arquipélago Gulag", de Soljenítzin, os livros de contos e anotações de Andréi Platonov; os cadernos secretos Mikhail Príchvin; "O arquivo de um escritor", de Constantín Vorobióv, todos os livros de Nabokov e os contos e as crônicas de Daniil Kharms, grande precursor russo da literatura do absurdo. Entre as mulheres, principalmente, os textos de Ariadna Efron, filha da grande poetisa Marina Tzvetáieva, memórias expressivas de Nina Berbiérova, que vão do início do século até nossos dias; "Itinerário abrupto", de Ievguênia Guinsburg, sobre os campos de trabalho, e Lídia Tchukóvscaia sobre o convívio dela com Anna Akhmátova.

"A grande quantidade de depoimentos" – considera o autor – "faz surgir mais claramente o problema: em que medida podemos confiar nos testemunhos dos que viveram determinados acontecimentos históricos? (...) Temos, numa forma penetrante, a descrição de fatos reais, mas isso não anula uma outra realidade: o *pathos* revolucionário daqueles dias, a certeza de que se estava destruindo um mundo de injustiça e opressão. Temos que conviver com o real de uns e de outros e deixar em nossas bibliotecas Bunin ao lado de Maiakóvski. A tragédia de nosso século não pode ser apreendida por um só ponto de vista". Essa e outras lições devemos a Boris Chnaiderman.

Quanto ao passado próximo da Rússia, quanto ao futuro, respondendo a uma pergunta que eu mesma lhe fiz: "A Itália não se recuperou dos escombros de quando a conheci? A Rússia também vai se recuperar".

As múltiplas faces de um mestre

PAULO BEZERRA*

Há poucos dias visitei Boris Schnaiderman em sua casa, onde convalescia de uma cirurgia e acabava de receber alta depois de dois meses hospitalizado. Mas o encontrei lendo o quinto volume das *Memórias* de Pedro Nava e fazendo notas críticas de sua leitura. Assim é esse cidadão do mundo, intelectual incansável, sempre ligado aos fatos da literatura e da cultura, nossa, russa e universal.

É raro encontrar um intelectual de um perfil tão amplo como o de Boris Schnaiderman, que escreve com total desembaraço, de forma ampla e profunda, sobre várias literaturas, teoria literária, cinema, teatro, história, está sempre atento às novidades na literatura universal, especialmente a russa e a brasileira, sua preocupação constante. Em tudo o que escreve podemos sentir a brisa do novo, prova de sua mente aberta a mutações do mundo em formação, para usar uma expressão cara a Mikhail Bakhtin. Nascido na Ucrânia e radicado no Brasil desde os oito anos de idade, adotou nosso país como seu, embrenhou-se nas sendas de nossa língua, literatura e cultura, e escreve com um domínio da língua e uma clareza tão grandes que o leitor desavisado jamais suspeitaria estar lendo um texto não escrito por um brasileiro nato. Selando sua integração à vida nacional no que ela tem

* Paulo Bezerra é professor aposentado de Teoria Literária da Universidade Federal Fluminense, ensaísta e tradutor de cerca de cinquenta obras publicadas.

de melhor, Boris integrou a Força Expedicionária Brasileira, enviada à Itália para combater o nazifascismo, experiência que serviu de tema ao belo livro *Guerra em surdina* (Civilização Brasileira, 1964; Cosac & Naify, 2004).

UM MESTRE NO AMPLO SENTIDO DO TERMO

Em 1960 Boris fundou os estudos livres de língua e literatura russa na USP, fato que, em 1963, veio culminar na fundação da cadeira, inaugurando os estudos da literatura, da cultura e da história da Rússia entre nós, antes praticados por pessoas que não falavam a língua russa e traziam para nossos leitores interpretações do mundo russo e soviético muito marcadas pelo olhar norte-americano ou europeu ocidental. A existência da cadeira de russo lançou novas bases para o surgimento de estudos sobre língua, literatura, cultura e história da Rússia, trazendo pela primeira vez para o nosso leitor enfoques dos vários fenômenos da vida russa e soviética à luz da contribuição de autores russos traduzidos diretamente do original.

O primeiro grande trabalho ligado à cadeira foi, salvo engano, *A poética de Maiakóvski*, tese de doutorado de Boris editada em 1971 pela Perspectiva, primeiro estudo teórico amplo e abrangente publicado em língua portuguesa sobre o processo de composição, dos muitos aspectos da obra e da vida do grande poeta, dramaturgo, prosador e homem de cinema. Destaco ainda duas grandes obras ligadas à mesma cadeira de russo. A primeira foi *Dostoiévski:* prosa, poesia, tese de livre-docência defendida por Boris em 1974 e publicada pela Perspectiva em 1982. Trata-se de um estudo pioneiro no Brasil (e quiçá na Rússia!) que, examinando o procedimento totalmente moderno e inovador de Dostoiévski no uso da linguagem literária, mostra que no conto "O senhor Prokhartchin" ele subverteu de tal modo os padrões de uso da linguagem literária que quase eliminou a diferença entre prosa e poesia. Demais é, em termos de Brasil, a primeira experiência bem-sucedida de combinação de aspectos da teoria bakhtiniana do discurso com uma percuciente análise estético-filosófica de uma obra do gênio russo. A segunda obra é *A.P. Tchékhov: cartas para uma poética*, dissertação de mestrado de Sophia Angelides, publicada em livro em 1995 pela Edusp. Orientanda de

Boris Schnaiderman.
Foto: Paulo Leite

Boris e apaixonada pela obra de Tchékhov, Sophia, que faleceu muito jovem, foi, entre seus colegas de cadeira, quem mais se aproximou da condição de discípula do mestre.

Coube a Boris a organização de um dos trabalhos teóricos mais relevantes no âmbito daquela cadeira: o livro *Semiótica russa* (publicado pela Perspectiva em 1979), coletânea de artigos sobre antropologia, linguística, literatura e cinema, para a qual Boris escreveu uma introdução fundamental, permitindo que o leitor brasileiro tomasse conhecimento dos caminhos da semiótica na União Soviética. Seria quase impossível enumerar as publicações de seus artigos sobre os mais diversas temas da cultura russa, literatura comparada, etc., além das muitas palestras que deu sobre o tema pelo Brasil afora. Vários mestres e doutores nessa área que, como Aurora Bernardini, passaram por sua orientação, já traduziram bastante e publicaram muita coisa sobre literatura russa. Salvo engano, as publicações mais recentes foram *A senhoria*, de Dostoiévski, texto de dificílima tradução, porém bem realizada por Fátima Bianchi, publicado em 2006 pela Editora 34; *Caderno de literatura e cultura russa*, coletânea de artigos oriundos de um simpósio internacional sobre Dostoiévski, publicada pela Ateliê Cultural em 2008; e *Nikolai Gógol:* teatro completo, traduzido por Arlete Cavaliere e publicado em 2009 pela Editora 34.

Conheci pessoalmente Boris Schnaiderman em 1981, logo após a publicação de minha tradução de *Problemas da poética de Dostoiévski*, de Mikhail Bakhtin. Na ocasião, ele publicou no *Jornal da Tarde* de São Paulo uma generosa resenha de minha tradução, na qual escreveu:

> Paulo Bezerra, que realizou a tradução do original russo, escreveu para o volume uma orelha mais séria e abrangente do que muitos prefácios e introduções, onde começa por afirmar com razão: "Não estamos diante de um simples livro de crítica literária, estamos diante de um livro de teses. Nele encontramos a tese do romance polifônico, da dialogia, da carnavalização da literatura, uma inovadora concepção dos gêneros literários e sua transformação na obra de Dostoiévski. Todas essas questões se assentam sobre um fundo mais amplo, de abrangência multidisciplinar: o problema do diálogo como fundamento do pensamento criativo e da própria criação".

E conclui: "Assim, desde as primeiras linhas, coloca-se o cerne do problema".

Fiquei muito feliz, pois recebia o aval do nosso especialista maior no assunto. A partir daquele momento nasceu entre nós uma grande amizade, que só aumentou com o passar do tempo. E também uma correspondência que teve grande importância na consolidação de minha formação como especialista em língua e literatura russa e também como tradutor. Minha formação inicial em literatura russa deu-se na Universidade Lomonóssov, em Moscou; logo, acabou sendo marcada pelo matiz ideológico característico de todas as instituições soviéticas de ensino. O diálogo com Boris me ajudou muito a superar alguns aspectos daquele matiz ideológico. Suas observações críticas sempre se caracterizaram pela brandura, pelo respeito ao trabalho do outro, marca inapagável de sua personalidade e sua sabedoria.

Isto, sem dúvida, contribuiu muito para que surgisse entre nós uma grande afinidade no trato de questões como literatura russa e tradução, resguardando-se, é claro, a posição de Boris como o grande mestre de todos nós que lidamos com literatura russa e sua tradução no Brasil.

UM CRÍTICO E POLEMISTA REFINADO

A entrada de Boris Schnaiderman na discussão de assuntos ligados à história e à cultura russa e soviética significou um novo momento na história dos estudos desses fenômenos entre nós, agora marcado por uma visão "de dentro" para fora, isto é, pela visão do especialista nato. Ele soube dar a esses fenômenos uma interpretação peculiar, isenta das deturpações provenientes do clima da guerra fria bem como dos exageros e deformações produzidas por estudiosos ligados por ideologia ao Partido Comunista da União Soviética e aos demais partidos comunistas mundo afora. Essa atitude sempre o distinguiu entre aqueles que, como ele, simpatizavam com a União Soviética e o ideário socialista, mas carregavam de tal modo na tinta que constantemente perdiam a perspectiva crítica e resvalavam no panegírico. Boris, ao contrário, sempre foi respeitoso ao abordar temas da política, da vida e da cultura soviéticas, mas sem deixar de apontar as contradições, as mazelas e também os crimes cometidos pelo sistema soviético, antes e durante o stalinismo, contra seus cidadãos, sobretudo contra escritores e demais artistas. Polemizando com uma tendência de vincular apenas à pessoa de Stálin os crimes cometidos pelo regime soviético contra seus cidadãos, tendência essa surgida depois que Khruschóv denunciou ao XX Congresso do PCUS os crimes de Stálin, Boris sempre procurou ver esse fenômeno como resultado de um processo, situando tais crimes no início da Revolução de 1917, especialmente na repressão e nos fuzilamentos de poetas, dramaturgos e artistas. Tudo isso vem sendo tema de vários artigos que ele publicou em jornais e revistas ao longo de décadas e está presente em *Os escombros e o mito*, livro síntese de todas as suas preocupações com a história, a cultura e o destino da intelectualidade da Rússia. Nessa obra, Boris se coloca na posição do historiador e do exegeta implacável da cultura, fazendo falarem aqueles que tiveram vez e as vozes que foram abafadas e elididas em seu direito natural à liberdade

IVAN
BUNIN

O AMOR DE MÍTIA
e
O PROCESSO
DO TENENTE IELÁGUIN

Tradução de
BORIS SCHNAIDERMAN

Estudo introdutivo de
GEORGES ADAMOVITCH

Ilustrações de
TERECHKOVITCH

EDITÔRA DELTA
Rio de Janeiro
1964

O amor de Mítia; e *O processo do Tenente Ieláguin*, de Ivan Bunin; tradução de Boris Schnaiderman. Rio de Janeiro: Delta, 1964. (Coleção dos Prêmios Nobel de Literatura; prêmio de 1933). Acervo BMA

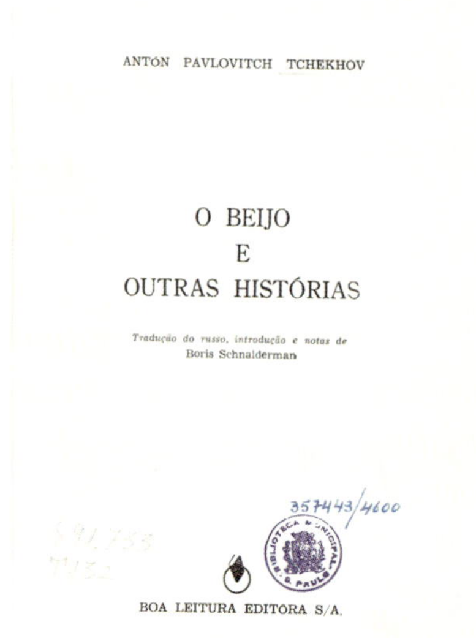

ANTON PAVLOVITCH TCHEKHOV

O BEIJO
E
OUTRAS HISTÓRIAS

Tradução do russo, introdução e notas de
Boris Schnaiderman

BOA LEITURA EDITÔRA S/A.

O beijo e outras histórias, de Anton Tchekhov. Tradução do russo, introdução e notas de Boris Schnaiderman. São Paulo: Boa Leitura, 1956. Acervo BMA

de expressão. Ao fazer a história política e cultural falar através de todas as suas facetas, ele a trata como um objeto polifônico, numa feliz combinação da herança de Bakhtin com a rica experiência da *École des Annales*. Aquelas preocupações se tornaram uma constante em sua vida e prova disto é o artigo "A luta dos intelectuais russos", que publicou na *Folha de S. Paulo*, em 2 de dezembro de 1998, a propósito do então recente assassinato da deputada liberal e etnóloga russa Galina Starovóitova, crítica severa da xenofobia dos nacionalistas russos e dos desmandos do governo Yéltsin.

Essas preocupações de Boris extravasam o mundo exclusivamente russo e se estendem a um plano mais amplo da história do século XX, como se verifica em sua polêmica com o jornalista William Waack a propósito do livro *As duas faces da glória*, que o jornalista publicou em 1985 pela Editora Record. Numa resenha publicada no "Folhetim", suplemento da *Folha de S. Paulo*, em 2 de junho de 1985, com o título já em si polêmico "Quantas faces tem a glória?", Boris faz amplos elogios ao livro. Destaca as grandes qualidades de Waack repórter, sua "obstinação apaixonada e uma capacidade incomum de narrar os fatos", o que dá ao livro uma notável qualidade literária, e reconhece sua "grande capacidade ao criar, no melhor sentido ficcional", um tipo literário na imagem do comandante alemão Eccart von Gablenz.

Contudo, testemunha ocular e participante daqueles acontecimentos e fiel à objetividade que caracteriza sua escrita, Boris faz algumas críticas ao livro, como, por exemplo, a generalização do tratamento rude e injusto dispensado por nossos oficiais aos pracinhas (uma verdade apenas parcial), a subestimação da 232ª Divisão alemã (que Waack descreve como formada por veteranos quarentões e jovens de dezessete anos) enfrentada pelos brasileiros nos Apeninos, o que depreciaria os méritos dos nossos pracinhas, e também a confusão em torno da tomada de Barga pelos alemães. Boris questiona ainda a intenção do autor de ligar a participação na guerra aos acontecimentos de 1964. Afora isso, sua resenha é altamente favorável ao livro de Waack.

Outra faceta do polemista refinado encontramos em seus escritos sobre Mikhail Bakhtin. Conhecedor e admirador da obra de Bakhtin, responsável por sua introdução entre nós, Boris está sempre às voltas com o pensamento desse estudioso maior de Dostoiévski, que é para ele uma das referências mais importantes da teoria literária. Isto, porém, não o afasta da atitude crítica, característica de toda a sua vasta obra. Ao comentar, na referida resenha à minha tradução de *Problemas da poética de Dostoiévski*, a afirmação de Bakhtin de que "o mundo de Tolstói é monoliticamente monológico" e de que "o ponto de vista monologicamente ingênuo de Tolstói e sua palavra penetram em toda parte, em todos os cantos do mundo e da alma, subordinando tudo a sua unidade", Boris acrescenta: "Não há dúvida, em semelhantes formulações há uma boa dose de simplismo, a impregnação profunda pela obra de Dostoiévski, tratada com riqueza e exuberância, levou Bakhtin a certa esquematização ao tratar de Tolstói". Essa visão da obra de Bakhtin perpassa tudo o que ele vem escrevendo a respeito deste e está presente no único livro que dedicou especialmente ao grande crítico: *Turbilhão e semente:* ensaios sobre Dostoiévski e Bakhtin. Discutindo neste livro a afirmação de Bakhtin de que "Dostoiévski tornou o espírito, isto é, a última posição semântica da personalidade, objeto de contemplação estética; ele conseguiu ver o espírito de tal modo como, antes dele, sabiam ver apenas o corpo e a alma do homem", Boris acrescenta: "Francamente, isto me parece muito sibilino. Que separação é esta entre espírito, corpo e alma, num contexto como o elaborado neste escrito? Visto que Bakhtin não chega a explicar termos como estes, diversas passagens de seu caderno me parecem obscuras". Se é difícil compreender essa separação, o mesmo se pode dizer da separação entre alma e espírito que acompanha a reflexão de Bakhtin no capítulo-livro de *Estética da criação verbal* e se refere à questão estética, ao processo de construção das personagens. Mais de uma vez toquei nesse assunto em minhas conversas com Boris, e sempre achamos estranha e inexplicável a formulação.

TRADUTOR E INTÉRPRETE DE DOSTOIÉVSKI

Seria impossível escrever em um único artigo sobre a obra crítica de Boris em literatura russa. Uma tese de doutorado seria o melhor recurso para semelhante tarefa. Por essa razão, nos limitaremos a um breve comentário de suas reflexões sobre Dostoiévski e poucas palavras sobre outros que ele traduziu e comentou.

Dostoiévski tem sido um objeto de constantes reflexões de Boris. Uma engenhosa combinação de filosofia e estética acompanha tais reflexões sobre o romancista e sua obra. Desde a publicação de *Dostoiévski:* prosa, poesia, seu enfoque da obra dostoievskiana sempre se caracterizou por uma bem urdida combinação da análise estética com a análise filosófica, histórica e antropológica, na qual sobressai o contexto histórico, político, cultural e ideológico sobre o qual o gênio do romance construiu sua obra. Em suas análises da obra dostoievskiana Boris sempre parte de Dostoiévski primeiro como artista para depois situá-lo no campo das ideias propriamente ditas. Mesmo considerando Dostoiévski "um romancista-filósofo por excelência", capaz de transformar ideias tidas como abstratas em ações concretas e até em personagens, mostra que isto só ganha eficácia quando bem urdido por procedimentos estéticos. Assim, sua análise de Dostoiévski contempla uma feliz combinação do estético com o filosófico, na qual a concretude das ideias e da existência humana se corporifica em diálogos e atos das personagens da prosa. É o que sobressai de artigos como "Dostoiévski: a ficção como pensamento", "Os paradoxos políticos de um gigante do pensamento" e "No subsolo de Dostoiévski", publicados respectivamente em *Arte e pensamento*, organizado por Adauto Novaes e editado pela Companhia das Letras em 1994, "Caderno de Cultura" de *O Estado de S. Paulo*, em 26 de março de 2000, e no "Caderno de Cultura" de *O Estado de S. Paulo*, em 26 de

Contos de Tchékhov; tradução de Boris Schnaiderman. Rio de Janeiro: Civilização Brasileira, 1959. Acervo BMA

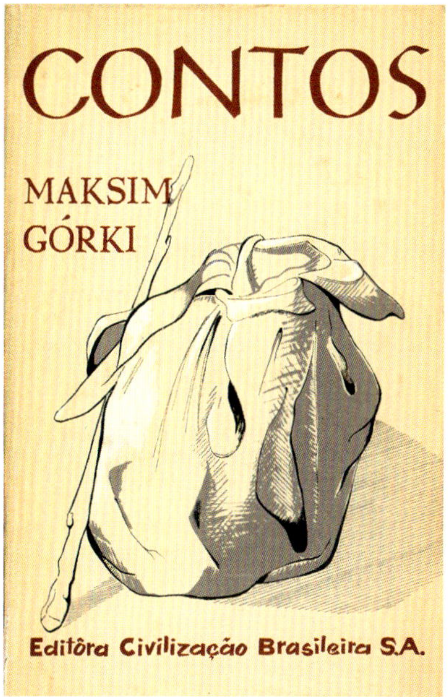

Antologia de contos de Maksim Górki; tradução de Boris Schnaiderman. Rio de Janeiro: Civilização Brasileira, 1961. Acervo BMA

fevereiro de 2006. Certa vez Púchkin escreveu: "O gênio é amigo dos paradoxos". Em sua análise da obra de Dostoiévski, Boris sempre tem procurado mostrar esse paradoxo.

Púchkin, Tolstói, Tchékhov, Górki, além dos poetas vanguardistas, têm sido outros objetos de constantes reflexões de Boris, que, ao traduzi-los e escrever sobre cada um, consegue mostrar suas peculiaridades individuais e aquilo que os aproxima ou distancia no conjunto da literatura russa.

Boris também já escreveu muito sobre literatura brasileira. Machado de Assis, Graciliano Ramos, Rubem Fonseca e vários outros autores brasileiros foram objeto de suas reflexões. Dois de seus artigos sobre nossa literatura atraem particularmente minha atenção. O primeiro é: "O bruxo do Cosme Velho. Nos seus escritos, a história pulsa", publicado no "Caderno 2" de *O Estado de S. Paulo* em 1º de julho de 2000. Boris mostra a profunda sensibilidade de Machado no trato com a história, sua visão nada romântica da ciência médica, o que o aproxima muito de Tolstói e Dostoiévski, e faz uma interessante comparação de *O alienista* com o *Bobók* de Dostoiévski. O segundo é "Vozes de barbárie, vozes de cultura", posfácio ao livro *Contos reunidos* de Rubem Fonseca, publicado em 1999 pela Companhia das Letras.

É o único ensaio que conheço sobre Rubem Fonseca à luz da contribuição da teoria de Bakhtin e um dos melhores (se não o melhor!) textos que já li sobre esse autor, no qual Boris enxerga elementos polifônicos. Fugindo a um quase estereótipo da nossa crítica sobre Rubem Fonseca como uma espécie de banalizador da violência, Boris a mostra como elemento intrínseco de nossa cultura, e escreve:

> Assim, as vozes de barbárie são contaminadas com algo que não se coaduna com a palavra "bárbaro". E a crueldade máxima, o ápice da violência, está muitas vezes matizado por algo que lhe é claramente oposto. O rude, o excrementício, liga-se às vezes ao maior lirismo, numa construção ritual, como no caso do rapaz que escreve com urina o nome da amada, acrescido de dois corações, um deles varado por uma flecha.

ANTOLOGISTA DO MUNDO RUSSO

Boris selecionou e traduziu antologias de três autores, contemplando os melhores contos e novelas de cada um. *Contos*, de Maksim Górki, livro publicado em segunda edição pela Editora Philobiblion em 1985, reúne dezesseis dos melhores contos desse autor. *A dama de espadas*, de A. Púchkin, congrega sete narrativas; e duas seletas de Tchékhov: *A dama do cachorrinho e outros contos*, composta de 36 contos, e *O beijo e outras histórias*, composto de seis contos, entre os quais "Enfermaria nº 6", texto que tem muitos pontos em comum com "O alienista", de Machado de Assis. Além dessas obras, selecionou com os irmãos Haroldo e Augusto de Campos duas seletas de poesia russa: *Maiakóvski*, *Poemas*, e *Poesia russa moderna*, ambas publicadas pela Editora Perspectiva. Já em *A dama de espadas*, de Púchkin, a terceira edição da obra, trabalhada e retrabalhada por Boris, ganhou acréscimos de poemas traduzidos por Nelson Ascher com orientação semântica de Boris.

A TRADUÇÃO COMO TEXTO ABERTO

O "Folhetim", suplemento literário da *Folha de S. Paulo*, publicou no dia 23 de fevereiro de 1986 uma entrevista de Boris a Nelson Asher. Ao responder ao entrevistador, que lhe perguntara se ele "retrabalha muito suas traduções", Boris afirma que estava retrabalhando um romance curto de Tolstói, publicado em 1963 (*Khadji Murát*), e faz uma declaração que sintetiza perfeitamente sua concepção e sua prática da tradução: "Seria um fenômeno triste de estagnação intelectual pegar um texto meu de 1963 e não ter o que modificar".

Não se trata de frase de efeito, mas de uma declaração de princípios, de uma concepção da tradução como obra aberta, sempre passível de aprimoramento, que tanto pode ser feito pelo tradutor como por sugestões de leitores. Trata-se ainda de um procedimento que acompanha todo o trabalho de tradução de Boris. Ele jamais reedita uma tradução sem antes fazer uma revisão cuidadosa do texto e inserir as modificações que considera indispensáveis. Para evitar vários exemplos, que acabam sendo enfadonhos, escolho apenas um por considerá-lo de extrema sutileza, só perceptível por quem realiza com muito esmero o cotejo da tradução com o original. Na segunda edição de *Memórias do subsolo*, publicada em 1992 pela Editora Paulicéia, o narrador-personagem discute no 10º capítulo, p. 96, a utopia do palácio de cristal e aí aparece a seguinte frase no centro de um parágrafo: "Não dá no mesmo, se ele existe nos meus desejos, ou, melhor dizendo, se existo enquanto existem os meus desejos?" Acontece que na passagem do original, p. 49, do qual Boris traduziu, o verbo existir – *suchestvovat* – aparece três vezes, duas na terceira pessoa do singular – *suchestvuet* (existe) e uma na terceira do plural – *suchestvuiut* e nenhuma na primeira pessoa – *suchestvuiu* (existo). Erro do mestre? Absolutamente. Erro de digitação? Talvez. Mas prefiro outra hipótese, ou seja, uma espécie de errata muito comum no exercício da tradução e que chamo de *lapso de visão*: o tradutor lê uma palavra, mas é como se não a enxergasse direito. Nunca me lembrei de comentar esse caso com Boris em nossas conversas. Mas vejamos o que aconteceu. Na terceira edição de *Memórias do subsolo*, desta vez realizada pela Editora 34, encontramos aquela mesma passagem corrigida na p. 49: "se existe enquanto existem os meus desejos" em vez do "se existo". Observe-se a pequeníssima nuance percebida pelo tradutor em seu cotejo com o original: a substituição do existo (que no original seria *suchestvuiu*) pelo existe (*suchestvuet*, no original), isto, é, a simples substituição da desinência número-pessoal de primeira pessoa do singular pela desinência de terceira pessoa do singular. Tudo isso

MAIAKÓVSKI, Vladmir. *Poemas*. São Paulo: Perspectiva, 1989. (Signos)
Acervo BMA

mostra o quanto Boris é percuciente na releitura de suas traduções, seu profundo respeito pela palavra do outro, respeito esse que se manifesta na incessante procura pela melhor expressão para transmitir tal palavra.

Mas sua percuciência começa pelo ato de traduzir, ou melhor, pelo modo de traduzir, que para ele é uma "realização estética, que exige muita criatividade, e esta se desenvolve com o tirocínio", como afirmou na referida entrevista a Nelson Ascher. Essa criatividade deve manifestar-se em todo o processo de tradução de uma obra, cabendo ao tradutor mobilizar ao máximo sua sensibilidade criadora no empenho de captar o processo de criação da obra e o papel que seu autor reserva a cada uma de seus componentes. Neste sentido, destaco a grande criatividade que Boris revela na recriação de duas obras: o conto "Dubróvski", da coletânea *A dama de espadas*, de Púchkin (Editora 34), e o romance de Maksim Górki, *Ganhando meu pão* (editora Mercado Aberto, também editado por Brasiliense e Cosac & Naify). Em "Dubróvski", o tradutor beira o virtuosismo ao traduzir o documento de um tribunal, em oito páginas e em sua linguagem especificamente burocrática, mas sem ferir, em nenhum momento, o equilíbrio geral e o ritmo do estilo plástico e simples de Púchkin. Em *Ganhando meu pão*, sua criatividade já começa pelo título, que no original é *V liúdiakh* e significa literalmente "trabalhando alugado e morando em casa dos patrões". O título dado por Boris é uma interpretação da obra e diz muito mais do seu conjunto que o título original. O romance combina a linguagem erudita do narrador com a linguagem popular da maioria de suas personagens e tem um sentido profundamente popular, que não está apenas na representação da gente simples do povo; está também na linguagem, de forte carga proverbial. Os ditos populares são uma constante na maioria das falas, e aí se revela com nitidez o primor da tradução. Traduzir provérbios ou encontrar seus equivalentes culturais é um desafio incomensurável para o tradutor. Pois bem; além de traduzi-los com extrema felicidade,

Boris ainda o fez em rimas, o que, além de engalanar o texto com as vestes da poesia, imprime um ritmo bem peculiar à leitura. Coisa de mestre.

Ao longo de sua carreira Boris deu incontáveis entrevistas e escreveu um grande número de artigos sobre tradução. A essência de tudo isto está reunida em um grande livro, que não é só sobre tradução, mas sobre sua vida, seu contágio pela natureza e a cultura brasileira, sua adaptação ao país, sua construção como tradutor e intelectual. Refiro-me a *Tradução, ato desmedido* (título retirado de um artigo publicado pelo autor na *Folha de S. Paulo* de 10 de abril de 1987). Trata-se de um livro de várias teses sobre o assunto, editado em 2011 pela Editora Perspectiva. Aí Boris reúne uma síntese de todo o seu trabalho como tradutor e oferece aos tradutores brasileiros uma obra fundamental sobre teoria e prática da tradução, que se pode colocar ao lado da *Poética do traduzir*, grande obra do mestre Henry Meschonnic, também publicada no mesmo ano de 2011 pela Perspectiva.

O livro de Boris é uma obra impressionante como documento humano, mas muito especialmente pela construção de um itinerário intelectual, no qual o assunto tradução se combina com episódios de sua vida, da história humana e da cultura e se alterna constantemente com análises breves, porém acuradas, de obras literárias, o que é uma característica da escrita excepcional de Boris Schnaiderman.

Schnaiderman, Boris. *Guerra em surdina*. 4. ed. São Paulo: Cosac Naify, 2004.
Acervo BMA

Campos, Augusto de; Campos, Haroldo de; Schnaiderman, Boris. *Poesia russa moderna*. Rio de Janeiro: Civilização Brasileira, 1968. (Poesia hoje. Série Antologia)
Acervo BMA

Campos, Augusto de; Campos, Haroldo de; Schnaiderman, Boris. *Poesia russa moderna*: nova antologia. 5.ed. São Paulo: Brasiliense, 1987.
Acervo BMA

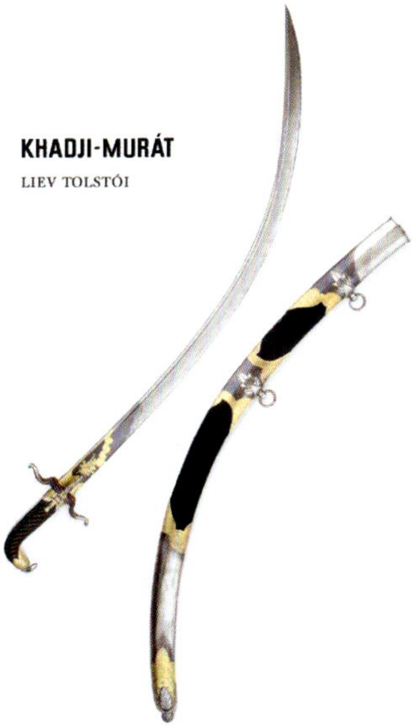

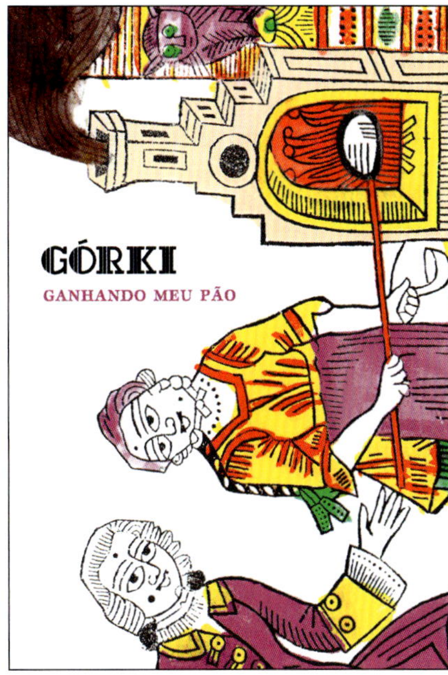

Khadji-Murát, novela de Tolstói, com tradução de Boris Schnaiderman. São Paulo: Cosac Naify, 2009.
Acervo BMA

Ganhando meu pão, de Maksim Górki, com tradução de Boris Schnaiderman. Cosac Naify, 2009.
Acervo BMA

Schnaiderman, Boris. *Dostoievski:* prosa, poesia: o senhor Prokhartchin. São Paulo: Perspectiva, 1982. (Signos)
Acervo BMA

a do papel impresso e a virtual, pediam revisões intermediadoras, com várias interfaces, considerando as demandas da ciência da comunicação contemporânea e as novas metodologias para armazenamento de dados. Mas, curiosamente, a etapa digital vivida pelos periódicos fez aflorar ainda mais a importância do suporte físico, chamando a atenção para o seu necessário manuseio, entre outras razões, pelas informações que carrega no âmbito da história do papel, do livro, do impresso, da ilustração e das artes gráficas em geral.

No caso dos periódicos da Mário, conjunto formado por quase 3 milhões de fascículos de jornais e revistas, cujas coleções abrangem de inícios do século XIX até nossos dias, cabia, pelas razões que se seguem, um trabalho diferenciado. Em primeiro lugar, pela divisão física do acervo, pois, sem espaço de guarda na sede, os periódicos foram alocados, desde a década de 1960, em outros pontos da cidade[1], com limitada infraestrutura para guarda e atendimento. Em segundo lugar, pela própria fragilidade física das publicações periódicas, muitas em papel de baixa qualidade, vocacionadas para a leitura rápida e o descarte. Por fim, pela ampliação da demanda de consulta, em momento em que os periódicos são privilegiados como fontes primárias fundamentais na escrita da História, no trato da Propaganda e da Publicidade, na recuperação da dinâmica do cotidiano, figurando como suportes credenciados e lugares de memória.

Em 2008, por meio de projeto financiado pelo Programa Petrobras Cultural, foi possível dar início a novas ações voltadas à preservação dos fundos periódicos, que contemplaram a higienização das coleções, a contextualização histórica dos títulos e, como projeto-piloto, sua disponibilização à consulta pública, graças à catalogação *online*. Para a centralização do acervo de periódicos, a Prefeitura Municipal de São Paulo obteve licença de uso do governo estadual do antigo prédio do Ipesp (Instituto de Previdência do Estado de São Paulo), edifício de 16 andares, em frente à praça dom José Gaspar. Valendo-se de financiamento do BID (Banco Interamericano de Desenvolvimento), dentro do Programa de Revitalização do Centro da cidade de São

1. De 1965 a 2007, o acervo ficou dividido entre a Biblioteca Mário de Andrade e a antiga Biblioteca Presidente Kennedy, hoje Prefeito Prestes Maia, em Santo Amaro. A partir de 2007, quando se iniciou a reforma da Mário, a parte do acervo que ali estava armazenada foi transferida para a Biblioteca Adelpha Figueiredo, no Pari.

Paulo, a reforma do prédio foi iniciada em dezembro de 2009, com finalização prevista para o primeiro semestre de 2012.

Isto posto, este artigo traça um breve panorama do conteúdo do acervo de periódicos da Biblioteca Mário de Andrade, com ênfase na coleção de revistas[2], em texto organizado da seguinte forma:

- a trajetória de formação do acervo de periódicos da Biblioteca;
- a produção periódica do Império, em suas vertentes oficial, caricata e ilustrada;
- a produção periódica da República, no quadro dos novos aportes derivados da revolução técnica das máquinas, da demanda ampliada de consumo e subsequente segmentação de títulos;
- o periodismo expresso no acervo como veículo decisivo da formação cultural do país.

A FORMAÇÃO DO ACERVO DE PERIÓDICOS

É relativamente recente a especial consideração para com a guarda de jornais e revistas. Como se trata de publicações voltadas, por natureza, à vigência de interesse momentâneo e imediato descarte, vale perguntar: preservar por quê? Para círculos letrados e esclarecidos sua guarda sempre foi de rigor, sobretudo pelo caráter pedagógico e testemunhal que lhe é inerente, suporte para divulgação de toda a ordem, funcionando, de certa forma, como os *sites* virtuais contemporâneos. Num segundo momento, sua importância se deu no âmbito do colecionismo, quando particularmente as revistas – porta-vozes de vanguardas, posturas políticas e graficamente ricas – tornaram-se publicações cobiçadas, fetiches para bibliófilos.[3]

Todavia, a superior valorização da guarda de periódicos registrou-se ao longo do século XX, quando jornais e revistas se mostraram não só veículos privilegiados da propaganda e de publicidade, como

2. A prioridade às revistas se deve às características específicas desta modalidade de periodismo e à limitação de espaço que impossibilita, neste mesmo texto, trabalhar também no âmbito da produção, circulação e consumo dos jornais.
3. Conforme se infere da análise dos periódicos das bibliotecas particulares de Eduardo Prado, Lima Barreto e Mário de Andrade, em MARTINS, Ana Luiza. *Revistas em revista*: imprensa e práticas culturais em tempos de República, São Paulo, 1890-1922. São Paulo: Imesp, Fapesp, Edusp, 2001.

também uma das mais preciosas fontes primárias da História, legitimadas pela *École des Annales*[4], que validou as fontes alternativas como fundamentais para a recuperação do passado, em amplo espectro.

Estas etapas podem ser apreendidas na Biblioteca. Sabe-se que até 1935 a instituição não possuía uma seção especial de periódicos, cabendo às gestões de Rubens Borba de Moraes (1935-1943) e Sérgio Milliet (1943-1959) ampliar as aquisições do gênero[5]. Antes mesmo de constituir sua Seção de Revistas e Jornais, a Biblioteca recebia doações valiosas de colecionadores e bibliófilos, atestadas nos registros de doação e *ex-libris* do barão Homem de Melo, de Paulo Prado, Afonso de Freitas, Felix Pacheco, Sérgio Milliet, Carvalho Franco, Maynard de Araújo, Otto Maria Carpeaux, Pereira Matos, Paula Souza, José Perez, Paulo Duarte e Pirajá da Silva. Coube também a Sérgio Milliet o lançamento, em 1943, do *Boletim Bibliográfico da Biblioteca Pública Municipal de S. Paulo*, publicação trimestral distribuída gratuitamente a instituições e interessados, que continha a relação de todas as obras incorporadas ao acervo, colaborações especiais sobre livros, autores, bibliografia, biblioteconomia e assuntos correlatos. Foi o embrião da *Revista da Biblioteca Mário de Andrade*.

Nos anos de 1960, o espaço de guarda dos periódicos inviabilizou-se e as coleções começaram a ser deslocadas para a distante biblioteca do Sistema Municipal de Bibliotecas (SMB) em Santo Amaro, salvo os títulos mais consultados e correntes e os títulos pertencentes à coleção de Obras Raras e Especiais. Em 2007, quando do início da reforma do edifício da Biblioteca, parte do acervo de periódicos foi armazenada em outra biblioteca do Sistema. Assim, até o primeiro semestre de 2011, o acervo de periódicos caracterizava-se por três grandes conjuntos assim conformados:

4. *A École des Annales* opunha-se ao trato Positivista da História, sobretudo ao introduzir a análise de longa duração e o estudo das mentalidades; difundia seus postulados pela revista *Les Annales d'Histoire Économique et Sociale*, de 1929, fundada por Marc Bloch e Lucien Febvre.
5. Vale lembrar que a Biblioteca foi criada na rua 7 de Abril, edifício que rapidamente ficou muito pequeno para abrigar seu acervo e usuários. Não se tem registros de coleções de periódicos quando da criação da Biblioteca, mas é importante ressaltar que, somente com a inauguração do novo edifício, em 1942, tornou-se possível pensar em manter um acervo de periódicos representativo.

- títulos da coleção de Obras Raras e Especiais, com temática variada, abarcando significativamente publicações do século XIX e primeira metade do século XX, desde *O Patriota* (RJ, 1813), segunda revista publicada no Brasil, até as revistas modernistas paulistas, de *Klaxon* (1922) à *Revista de Antropofagia* (1928), incluindo títulos raros, de *Anauê: revista mensal ilustrada* (RJ, 1935), porta-voz dos integralistas, à revista *Clima* (1941-1944), publicação seminal da crítica "acadêmica", chegando àquelas de consumo popular, como *Cinelandia* (RJ, 1952-1967).
- títulos armazenados na Biblioteca Prefeito Prestes Maia, de Santo Amaro, majoritariamente de 1870 a 1960, reunindo desde a excepcional *Revista Industrial*, editada em Nova York, entre 1878 e 1879, à raríssima revista do Estado Novo, *Granada*.
- títulos armazenados na Biblioteca Adelpha Figueiredo, no Pari, que abarcam periódicos, na sua maioria, de 1960 até o presente, com imensa diversidade de títulos, que retratavam o crescimento de nosso parque gráfico na área de periódicos.

Na impossibilidade de recuperar a diversidade temporal e temática destes conjuntos, elencamos referências balizadoras do caráter interdisciplinar de seus títulos, sugestivas de sua pluralidade. Mesmo assim, que circuito percorrer no labirinto das múltiplas lombadas e estantes? No conjunto inesgotável de assuntos guardados na Biblioteca Mário de Andrade, a abordagem cronológica e temática de alguns títulos expressivos parece ser o caminho possível.

DIMENSÕES TEMÁTICAS DE UM ACERVO

O leitor/pesquisador que enveredar pelo acervo de revistas da Mário de Andrade está sujeito a prazerosas descobertas, quando não a fortes emoções. Iniciemos por alguns títulos, sem que as respectivas menções correspondam a uma hierarquia de importância.

A começar pelos títulos pioneiros, *Correio Braziliense, ou, Armazem Literario* (Londres, 1808-1822) e a *Gazeta do Rio de Janeiro* (RJ, 1808-1821), com números soltos de sua continuação como *Gazeta do Rio* (1822-1823) e *Diário do Governo*, a partir de 1823.

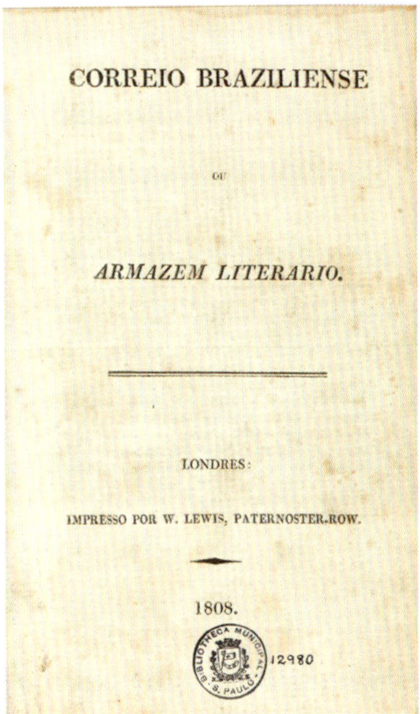

CORREIO BRAZILIENSE

OU

ARMAZEM LITERARIO.

LONDRES:

IMPRESSO POR W. LEWIS, PATERNOSTER-ROW.

1808.

Correio Braziliense, ou *Armazem Literario*, Londres, v.1, jun. 1808.
Acervo BMA

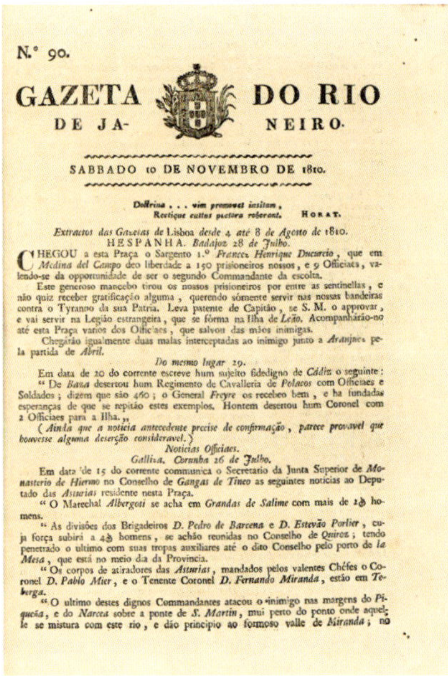

N.° 90.

GAZETA DO RIO DE JANEIRO.

SABBADO 10 DE NOVEMBRO DE 1810.

Doctrina . . . vim promovet insitam,
Rectique cultus pectora roborant. HORAT.

Extractos das Gazetas de Lisboa *desde 4 até 8 de Agosto de 1810.*
HESPANHA. *Badajoz 28 de Julho.*

CHEGOU a esta Praça o Sargento 1.° *Francez Henrique Ducurcio*, que em *Medina del Campo* deo liberdade a 150 prisioneiros nossos, e 9 Officiaes, valendo-se da opportunidade de ser o segundo Commandante da escolta.

Este generoso mancebo tirou os nossos prisioneiros por entre as sentinellas, e não quiz receber gratificação alguma, querendo sómente servir nas nossas bandeiras contra o Tyranno da sua Patria. Leva patente de Capitão, se S. M. o approvar, e vai servir na Legião estrangeira, que se fórma na Ilha de *Leão*. Acompanhárão-no até esta Praça varios dos Officiaes, que salvou das mãos inimigas.

Chegárão igualmente duas malas interceptadas ao inimigo junto a *Aranjuez* pela partida de *Abril*.

Do mesmo lugar 29.

Em data de 20 do corrente escreve hum sujeito fidedigno de *Cádiz* o seguinte: "De *Baza* desertou hum Regimento de Cavalleria de *Polacos* com Officiaes e Soldados; dizem que são 460; o General *Freyre* os recebeo bem, e ha fundadas esperanças de que se repitão estes exemplos. Hontem desertou hum Coronel com 2 Officiaes para a Ilha."

(*Ainda que a noticia antecedente precise de confirmação, parece provavel que houvesse alguma deserção consideravel.*)

Noticias Officiaes.

Galliza. Corunha 26 de Julho.

Em data de 15 do corrente communica o Secretario da Junta Superior de *Monasterio de Hiermo* no Conselho de *Gangas de Tineo* as seguintes noticias ao Deputado das *Asturias* residente nesta Praça.

"O Marechal *Albergoti* se acha em *Grandas de Salime* com mais de 2ꝭ homens.

"As divisões dos Brigadeiros *D. Pedro de Barcena* e *D. Estevão Porlier*, cuja força subirá a 4ꝭ homens, se achão reunidas no Conselho de *Quiros*; tendo penetrado o ultimo com suas tropas auxiliares até o dito Conselho pelo porto de *la Mesa*, que está no meio da da Provincia.

"Os corpos de atiradores das *Asturias*, mandados pelos valentes Chéfes o Coronel *D. Pablo Mier*, e o Tenente Coronel *D. Fernando Miranda*, estão em *Teberga*.

"O ultimo destes dignos Commandantes atacou o inimigo nas margens do *Piqueña*, e do *Narcea* sobre a ponte de *S. Martin*, mui perto do ponto onde aquelle se mistura com este rio, e dão principio ao formoso valle de *Miranda*; no

Gazeta do Rio de Janeiro, Rio de Janeiro, v.1, n.90, nov. 1810.
Acervo BMA

Destaque-se também desde já a primeira revista editada no Rio de Janeiro, *O Patriota: jornal litterario, politico, mercantil, &c.* (1813-1814)[6], coleção completa com 18 números, considerada a melhor publicação literária brasileira do período colonial. Nela colaboraram José Bonifácio, Domingos Borges de Barros (futuro visconde de Pedra Branca), Mariano Pereira da Fonseca (futuro marquês de Maricá) e o inconfidente mineiro Manuel Inácio da Silva Alvarenga, tendo como assinantes Carlota Joaquina, os condes dos Arcos, da Palma e da Ponte, o marquês de Torres Novas e o barão de Rio Seco. Segundo Morel, "*O Patriota*, mesmo sem se caracterizar como um dos combativos jornais patrióticos da época, sucumbiu pelo que poderia ser o 'etc.' de seu subtítulo, ou seja, os fatores imponderáveis da crise que atravessava aquela sociedade".[7] Há também no acervo, embora fac-similar, a revista *Nitheroy* (RJ, 1836) tendo como redatores Gonçalves Magalhães, Francisco de Sales Torres Homem e Manuel de Araújo Porto,

6. A primeira revista publicada no Brasil foi *As Variedades*, ou, *Ensaios de Literatura*, editada em Salvador por Manoel Antonio da Silva Serva, em janeiro de 1812. Consta que a única coleção encontra-se em Salvador, no acervo da Fundação Clemente Mariani.
7. MOREL, Marco. *O Patriota*: jornal literário, político, mercantil &c (1813-1814). Disponível em: http://www.brasiliana.usp.br/node/439 Acessado em 17.09.2011.

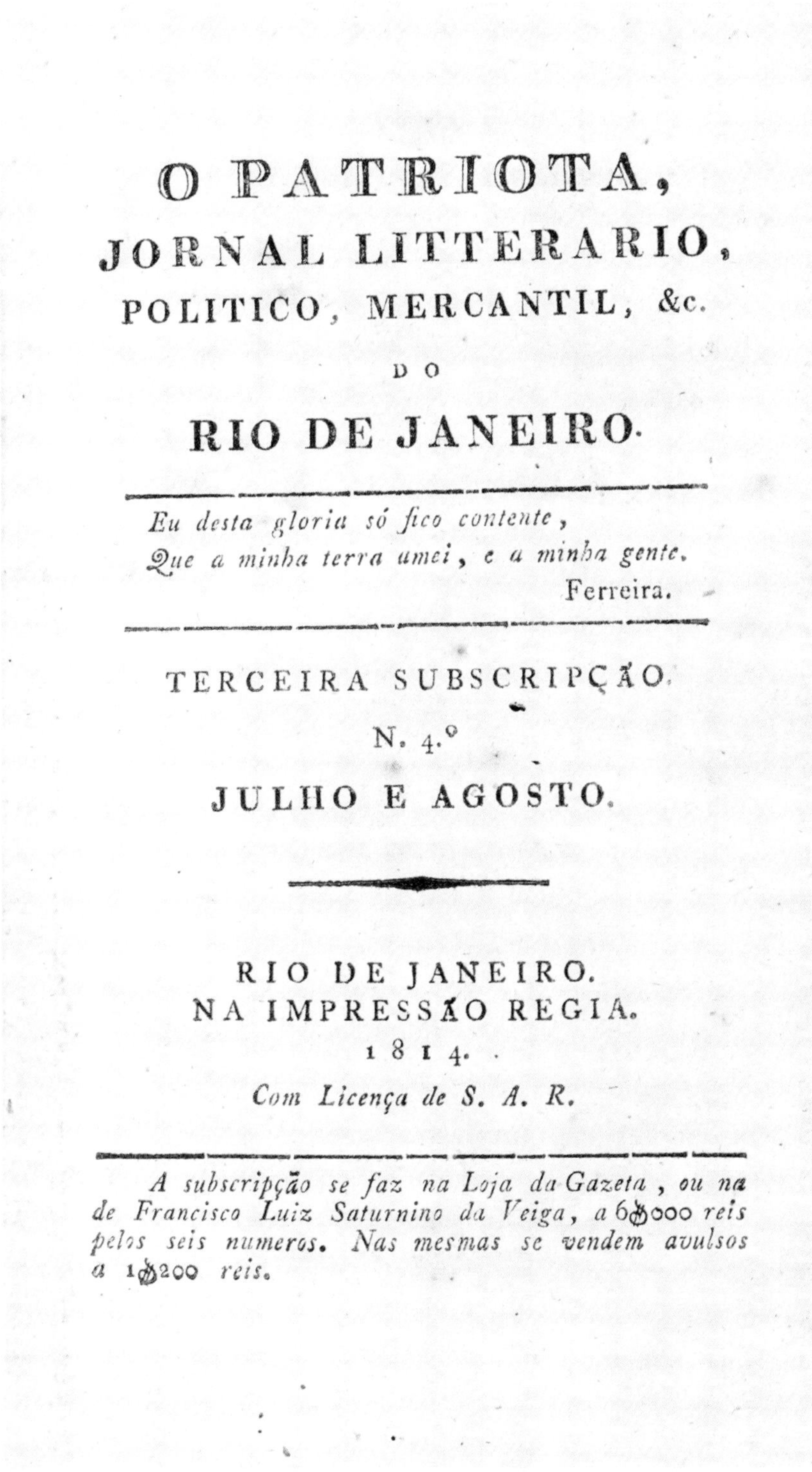

O PATRIOTA,
JORNAL LITTERARIO, POLITICO, MERCANTIL, &c.
DO
RIO DE JANEIRO.

Eu desta gloria só fico contente,
Que a minha terra amei, e a minha gente.
Ferreira.

TERCEIRA SUBSCRIPÇÃO.
N. 4.º
JULHO E AGOSTO.

RIO DE JANEIRO.
NA IMPRESSÃO REGIA.
1814.
Com Licença de S. A. R.

A subscripção se faz na Loja da Gazeta, ou na de Francisco Luiz Saturnino da Veiga, a 6$000 reis pelos seis numeros. Nas mesmas se vendem avulsos a 1$200 reis.

O Patriota: jornal litterario, politico, mercantil &c, Rio de Janeiro, v.3, n.4, jul.-ago. 1814.
Acervo BMA

uma das balizas iniciais do Romantismo nas letras brasileiras[8]; assim como alguns números originais de *Guanabara* (RJ, 1849-1856), fundada por Gonçalves Dias, Porto Alegre e Joaquim Manuel de Macedo.

Outro exemplar inaugural, agora no âmbito dos jornais paulistanos, é *O Farol Paulistano* (1827-1833), primeiro jornal impresso de São Paulo, embora com falha de números. A Biblioteca tem exemplares do *Farol* dos anos de 1830 e 1831. Raríssima, a *Revue Brésilienne* (RJ, 1830), em francês, se propunha a ser de política, literatura, ciências e arte, trazendo discursos de d. Pedro I, deliberações do Senado, parecer do barão de Eschwege sobre a extração do ouro no Brasil, legislação sobre liberdade de imprensa e uma curta peça "Como se faz um jornal: cenas cotidianas".

Da especial conjuntura pré e pós Independência, há periódicos protagonistas dos tantos "insultos impressos", conforme denominados por Isabel Lustosa, referindo-se à belicosidade das publicações periódicas daquele momento.[9] Deste período, tem-se o jornal político *A Malagueta* (RJ, 1821-1832), inevitavelmente picante, fundado por Augusto May. Diferenciado na forma, com apenas um artigo escrito em forma de carta ao Imperador, atingiu o total de 500 assinaturas, figurando como o primeiro jornal do Brasil a ser vítima da censura.[10] Mas há também a coleção completa de *O Tamoyo* (RJ, 1823), que, criado pelos irmãos Andrada, baliza a dissidência destes com d. Pedro I, quando da promulgação da Constituição.

De importância no debate político e pela qualidade de seu editor Evaristo da Veiga, registra-se o jornal *A Aurora Fluminense: jornal político e litterario* (RJ, 1827-1839), de tendência antilusitana. Mais isento, voltado, sobretudo, para as questões mercantis, constam vários números do *Jornal do Commercio* (RJ, desde 1827), que, ainda corrente, constitui-se no mais antigo veículo em circulação ininterrupta na América Latina. Teve direção de Pierre Plancher, José Carlos Rodrigues e Félix Pacheco, dentre outros nomes de relevância.

8. No mesmo ano de 1836, é lançado por Gonçalves de Magalhães o volume de versos *Suspiros poéticos e saudades*, apontado como publicação marco do início do Romantismo literário no Brasil.
9. Ver análise de *A Malagueta* e demais coetâneos em: Lustosa, Isabel. *Insultos impressos*: a guerra dos jornalistas na Independência, 1821-1823. São Paulo: Companhia das Letras, 2000.
10. Disponível em: http://malagueta101.blogspot.com/2008/06/jornal-malagueta_13.html. Acessado em 15.09.2011.

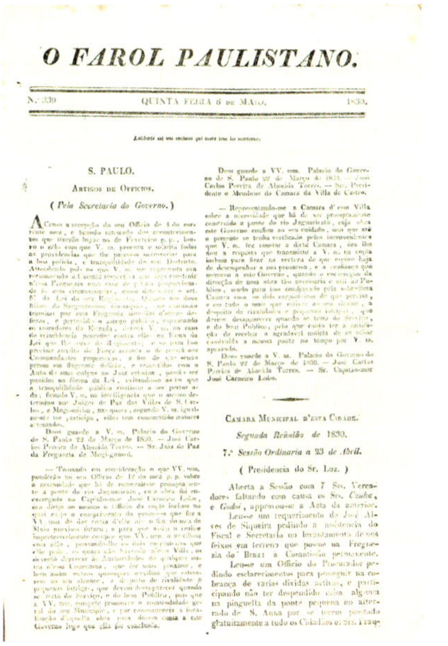
O FAROL PAULISTANO.

S. PAULO.

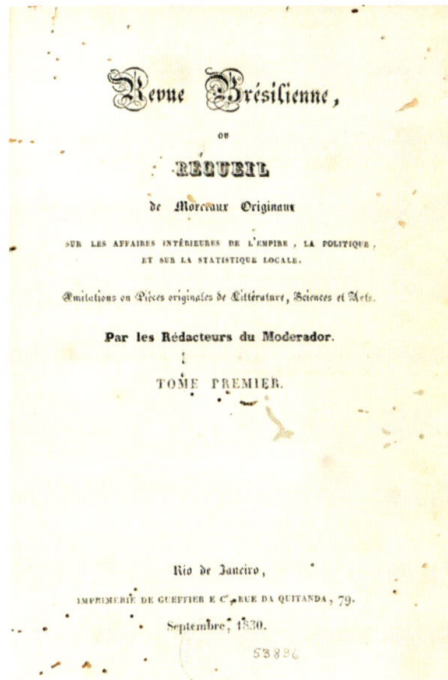
Revue Brésilienne,

ou

Recueil

de Morceaux Originaux

sur les affaires intérieures de l'empire, la politique, et sur la statistique locale.

Imitations ou Pièces originales de Littérature, Sciences et Arts.

Par les Rédacteurs du Moderador.

TOME PREMIER.

Rio de Janeiro,

Septembre 1830.

O Farol Paulistano, São Paulo, n.339, maio 1830.
Acervo BMA

Revue Brésilienne, ou *Recueil de morceaux originaux*, Rio de Janeiro, v.1, sept. 1830.
Acervo BMA

Cabe destaque a *O Auxiliador da Indústria Nacional* (RJ, 1833-1888), órgão de divulgação da Sociedade Auxiliadora da Indústria Nacional. Trata-se de um dos periódicos de maior duração no século XIX, com média de 300 páginas e com tiragem que alcançava mil exemplares por número, distribuídos em fazendas do Rio de Janeiro e/ou solicitado por interessados, expressando a força do capital agrário que imperava no país.

No recorte do século XIX, o acervo guarda, ainda, vários eventuais exemplares únicos no Brasil: *O Clarim Saquarema* (SP, 1851); *O Azorrague* (SP, 1858); *O Coaracy: jornal humoristico e illustrado* (SP, 1875-1876); e *O Cherubim: periódico semanal dedicado ao bello sexo* (RJ, 1885-1887).

Abrangendo longo período – fato raro no periodismo nativo – cite-se *O Brasil Histórico* (RJ, 1864-1869; 1873-1882), editado em cinco séries. A coleção da Mário foi formada pela reunião de exemplares das bibliotecas de Felix Pacheco, Paulo Prado e Homem de Mello, procedência qualificadora da importância e raridade da publicação.

Cabe registro à doação de Afonso Taunay, em 1956, do jornal *O Novo Mundo: periódico illustrado do progresso da edade* (Nova York, 1870-1879), editado pelo brasileiro José Carlos Rodrigues, que trazia textos qualificados sobre indústria e comércio, além de ricas ilustrações.

Punch, or *The London Charivari*, London, 1953.
Acervo BMA

para um protegido do Imperador. Inspirava-se na tradicional revista inglesa *Punch*, de 1841, de crítica de costumes na Inglaterra vitoriana, título este representado na coleção da Biblioteca por vários volumes publicados entre 1953 e 1969.

Longe de esgotar os títulos do periodismo satírico do século XIX que constam do acervo, registre-se ainda a existência de dois números dos jornais *O Ba-ta-clan: journal satirique illustré* (RJ, 1867-1871), redigido em francês e ilustrado com HQs e desenhos de J. Mill, Alfred Michon e P. Guimarães; *A Comédia Social: hebdomadário popular satírico* (RJ, 1870-1871), ilustrado com HQs e desenhos de Pedro Américo, Aurélio de Figueiredo e Décio Vilares; e O *Holophote: jornal sem eira nem beira do Club dos Dragões carnavalescos* (SP, 1903), que, já do início do século XX, constitui um incomum registro dos festejos populares da capital.

COLEÇÕES PRECIOSAS

As leituras informais de periódicos satíricos e daqueles de temáticas amenas se expressaram com intensidade ao longo do Império, e já se deu aqui notícia de algumas publicações do gênero. Com orientação oposta cabe registro, inicialmente, de duas publicações bastante consumidas pela elite letrada do Brasil e hoje raras, disponíveis na Biblioteca: a *Revue des Deux Mondes* e a *Revue de Paris*. Ambas reuniam intelectuais e literatos de expressão em torno do debate cultural e político, em suas respectivas vigências.

A *Revue des Deux Mondes*, fundada em Paris, em 1829, era distribuída no Rio, São Paulo e em Recife. Em seu período mais festejado (1830-1890), o Brasil foi seu centro de atenções, quando por volta de quarenta artigos lhe são consagrados, destacando-se aqueles dos viajantes Ferdinand Denis, Auguste de Saint-Hilaire, as memórias de Lacordaire e os relatos de Francis de Castelnau[14]. Leitura de parte

14. *Passagens oceânicas*: a revista *Nitheroy* & a *Revue des Deux Mondes*. Disponível em: http://bndigital.bn.br/francebr/revistasliterarias.htm. Acessado em 23.01.2011.

da classe dominante do país, figurou como referência de prestígio e sinal de distinção de seus assinantes. Leitura recorrente, inclusive, para o ilustre assinante, o monarca d. Pedro II, que trazia em mãos um volume da *Revue* na madrugada de 16 de dezembro de 1889, quando embarcou no Alagoas, rumo ao exílio. A coleção completa deste título qualifica excepcionalmente o acervo da Biblioteca.

Quanto à *Revue de Paris*, foi fundada em 1829 para competir com a *Revue des Deux Mondes*, muito semelhante a esta na forma e conteúdo. Contudo, a despeito do sucesso na época, não se manteve com a mesma longevidade, desaparecendo em 1858. Reapareceu entre 1864 e 1865, sob o título *La Nouvelle Revue de Paris*, finalmente absorvida por *La Revue Française*.

Tão preciosos quanto as publicações acima citadas são os *Annales de l'Académie des Sciences Naturelles de Paris*, onde estão publicadas as primeiras observações sobre o Brasil realizadas por viajantes franceses e europeus. Da mesma forma destacam-se os sete tomos do *La Minerve Française* e o pequeno volume denominado *Lettres Normandes*[15].

De interesse mais particularizado, porém de importância pela qualidade e hoje raridade, tem-se a francesa *Le Tour du Monde: nouveau journal des voyages* (Paris, 1860-1911). A revista surgiu num contexto de expansão da exploração geográfica do mundo, ainda com áreas inexploradas e civilizações desconhecidas dos europeus. Publicação sofisticada, em papel *couché*, que, guardadas as devidas proporções, pode ser considerada precursora das atuais revistas de turismo. Fundada por Edouard Charton, o mesmo do *Magasin Pitoresque* (Paris, 1860) e publicada pelo editor Louis Hachette, contém textos e relatos de aventureiros e exploradores dos então misteriosos continentes africano e asiático. Trata-se, efetivamente, de uma das primeiras revistas de viagens ilustrada, em que se encontram relatos de exploradores famosos como Livingstone, Stanley, Burton, Saffray, Garnier, Brazza, Scott e Amundsen. Vários textos faziam-se acompanhar, pela primeira vez, de mapas e xilogravuras dos melhores gravadores da época como Edouard Riou, Gustave Doré, Castelli, T. Weber, T. Taylor, Gaston Vuillier, J. Laurens, Emile Bayard, Alphonse de Neuville,

15. Cohen, Ilka Stern. *Relatório de títulos periódicos da Biblioteca Prestes Maia*. São Paulo: SMC, 2010. Mimeo.

D. Lancelot e Catenacci. Deixou de existir em 1911 por falta de leitores, quando praticamente toda a superfície do planeta já era conhecida e não havia mais descobertas a relatar no âmbito de uma publicação com aquela sofisticação.

CAPÍTULO À PARTE: A ILUSTRAÇÃO EM REVISTA

A evolução da arte gráfica tem no periodismo ilustrado da coleção da Biblioteca Mário de Andrade as melhores representações, tanto no âmbito das novas técnicas que aperfeiçoavam a impressão, como na divulgação das vanguardas artísticas. É sabido que o formato revista se apresentava ideal para novos experimentos da impressão imagética, fosse pelo papel superior àquele do jornal, fosse pela periodicidade mais ampla que a dos jornais diários, permitindo melhor acabamento dos impressos. Registra-se, a partir da década de 1890, a paulatina substituição das antigas técnicas artesanais de ilustração – xilografia, água forte, litografia – pela zincografia, assistindo-se também à revolução na velocidade da impressão, com maquinário moderno, das Alauzet às Marinonis e posteriormente, a linotipo e subsequente chegada da imprensa *offset*. O rebatimento no mercado foi imediato, propiciando ampliação de público consumidor e a demanda de novos títulos.

Todavia, embora a tradição periódica e a arte gráfica devam muito à Inglaterra, coube à Alemanha e à França a contribuição decisiva para o aperfeiçoamento da ilustração impressa. Mais tarde, novos aportes disseminaram-se a partir dos Estados Unidos, em particular no âmbito da propaganda e da publicidade. Das inúmeras "Ilustrações", a coleção da Mário é pródiga, a começar pela longeva *L'Illustration: journal hebdomadaire universel* (Paris, 1843-1944), que contou com a colaboração de grandes nomes do jornalismo e da literatura, e de ilustradores como Gustave Doré e Caran d'Ache, dentre outros. Segue-se a relação de apenas algumas das "revistas ilustradas" do acervo, cuja datação confirma seu surto na virada do século.[16]

16. Azevedo, Sílvia Maria. *Brasil em imagens*: um estudo da revista Ilustração Brasileira, 1876-1878. São Paulo: Ed.Unesp, 2010.

- *The Illustrated London News*. Londres, 1842-2003. Primeiro jornal semanal ilustrado do mundo, com grande coleção na Mário, de 1878 a 1984;
- *L'Illustration*: journal hebdomadaire universel. Paris, 1843-1944, com sequência expressiva na Mário, desde 1888 até 1940, continundo como *France Illustration*;
- *La Ilustración Española y Americana*. Madrid, 1870-1921, registrando-se na Mário os números de 1896 a 1920; com um exemplar do *Almanaque para el año 1913*.
- *L'Illustrazione Italiana*. Milão, 1873-1996, com vários fascículos editados entre 1887 e 1947;
- *Illustração do Brazil*. Rio de Janeiro, 1876-1877;
- *Figaro Illustré*. Paris, 1883-1911. Suplemento ilustrado de *Le Figaro*, do qual a Mário tem o número de 1902, com fotos dos primeiros dirigíveis de Santos Dumont;
- *A Illustração*: revista de Portugal e do Brazil. Paris, 1884-1892;
- *The Illustrated American*. Chicago, 1890-1891;
- *La Ilustracion Sud-Americana: revista ilustrada de las republicas sud-americanas*. Buenos Aires, 1892-1917, possuindo a Mário dois fascículos de 1900, trazendo entre as matérias, como título de capa: O presidente Campos Salles em Buenos Ayres;
- *L'Illustration Theatrale: journal hebdomadaire universal*; suplemento de *L'Illustration*. Paris, 1899-1913;
- *Illustração Brasileira*. Bordéus, 1901-1902;
- *La Petite Illustration*; suplemento de *L'Illustration*. Paris, 1901-1939;
- *Illustração Portuguesa*. Lisboa, 1903-1924;
- *Illustração Trasmontana: arquivo pittoresco, litterario e scientifico das terras trasmontanas*. Porto, 1908-1910;
- *A Illustração Brasileira*. Rio de Janeiro, 1909-1958;
- *Illustração Paulista: semanário de arte, propaganda e atualidades*. São Paulo, 1910-1913, com fotografias de Marc Ferrez, litografadas por Jules Martin;

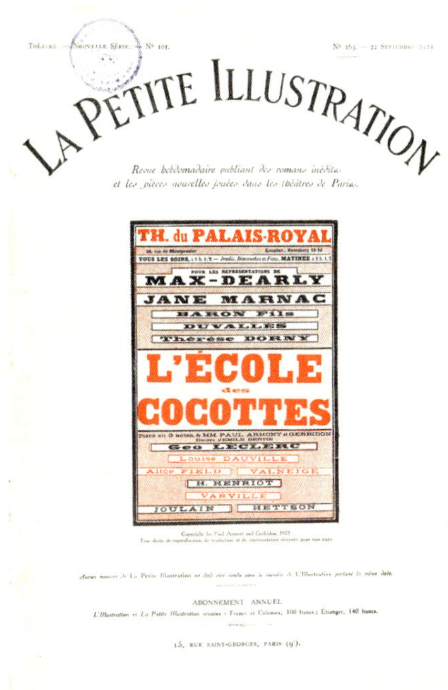

La Petite Illustration: théatre, Paris, v.163, 1923.
Acervo BMA

BIBLIOTECA MUNICIPAL
SÃO PAULO
EDIÇÃO ESPECIAL – SÃO PAULO E O ESTADO NACIONAL
Ilustração Brasileira
ANO XXI - NUMERO 104 - DEZEMBRO, 1943 - PREÇO CR $ 5,00

- *Ilustração de São Paulo*. São Paulo, 1916-1926, constando na Mário os fascículos editados a partir de 1921;
- *La Grand Illustrazione d'Italia*. Milão, 1925-1931;
- *Ilustração*. São Paulo, 1935-1953;
- *France Illustration* e *France Illustration: Le Monde Illustré*. Paris, 1945-1955; continuação das revistas *L'Illustration* e *Le Monde Illustré*.

Ilustração Brasileira, Rio de Janeiro, v.21, 1943.
Acervo BMA

No rastro destes números luxuosos e cobiçados, que priorizavam a ilustração, surgem, em particular no Rio de Janeiro, revistas literárias ilustradas, que revolucionaram no texto e o enfeitaram com acabamentos de curvas e flores do *art nouveau*, assim como com fotografias deslumbrantes, retratando a capital que se remodelava. Cabe destaque no acervo à antológica revista *Kosmos: revista artística scientifica e literária* (RJ, 1904-1909), objeto da exaustiva pesquisa de Antonio Dimas, que ampliou significativamente o conteúdo e as mensagens do periódico[17].

Do rico periodismo feminino, tem-se alguns exemplares da requintada *La Saison: edição para o Brasil* (RJ, 1867-1879), assim como de *La Saison: journal illustré des dames* (Paris, 1868-1902). Com o mesmo cabeçalho, há sua versão em língua portuguesa, *A Estação: jornal ilustrado para a família*, que se estende de 1879 a 1904, título do qual a Biblioteca dispõe de coleção quase completa. Machado de Assis colaborou em *A Estação* por dezenove anos, tornando-se praticamente seu editor literário. Neste periódico, publicou 37 contos[18], dentre eles "O alienista", de 15 de outubro de 1881 a 15 de março de 1882, impresso em livro já em 1882, no volume *Papéis avulsos*.[19]

Nesse universo de cores, imagens e experimentos gráficos de toda ordem, não surpreende que a Mário guarde um número do jornal inglês *The Graphic: an illustrated weekly newspaper* (Londres, 1916), imprescindível para o aperfeiçoamento do setor. E tão preciosa quanto

17. DIMAS, Antonio. *Tempos eufóricos*: análise da revista Kosmos, 1904-1909. São Paulo: Ática, 1983.
18. GLEDSON, John. Os contos de Machado de Assis: o machete e o violoncelo. In: ASSIS, Machado de. *Contos:* uma antologia. São Paulo: Companhia das Letras, 1998. Sobre isso ver também Crestani, Jaison Luís. Contos de Machado de Assis: entre livros, revistas e jornais. *Palimpsesto*, v.8, n. 8, p. 14, 2009.
19. TEIXEIRA, Ivan. *O altar & o trono*: dinâmica do poder em *O alienista*. São Paulo: Ateliê Editorial, 2010.

esta, em termos nacionais, a revista *Brasil Gráfico: revista brasileira de artes gráficas* (SP, 1950-1954), subvencionada pelos sindicatos das indústrias gráficas de vários estados e entidades congêneres, que trazia não só os progressos técnicos da área, mas aspectos da história do livro e matérias sobre os grandes profissionais da impressão.

NA REPÚBLICA DA "ORDEM E PROGRESSO": AMPLIANDO AS TEMÁTICAS

No final do século XIX, a inexistência de casas editoras no país ainda era um fato. A edição de revistas foi, portanto, a alternativa possível para literatos e jornalistas de plantão colocarem-se em letra impressa. Com o recurso da ilustração a cores, a arte gráfica valeu-se de tratamentos criativos, quando a figura do ilustrador tornou-se fundamental na redação.

Concomitantemente, o país recém-ingresso na República, vivendo a euforia de novos tempos da *res publica*, da laicização, do trabalho livre e da indústria nascente, tinha pressa em acertar seu novo tempo cultural e econômico, apropriação que se traduziu nas tantas revistas que se abriram a novos segmentos, firmando nichos de mercado conformados, particularmente, no sudeste do país, por demandas de toda a ordem. Afinal, o Brasil se tornara o primeiro produtor de café do mundo, transformava seu capital em industrial e financeiro, estampando particularmente nas revistas o espetáculo de sua modernização.

Nesse quadro, a urgência da educação livre, gratuita e universal, prioridade da plataforma republicana, traduziu-se em periódicos de valor, voltados para Educação e Pedagogia. Na Mário, encontram-se títulos raros desta temática, produzidos em São Paulo por educadores que revolucionavam o ensino. O projeto endossado pelo governo traduziu-se não só em apoio às publicações, como à construção de prédios escolares qualificados pelo interior do Estado, hoje inclusive tombados pelo Condephaat, órgão estadual de preservação do patrimônio. Alguns destes títulos produzidos em São Paulo, importante etapa da história da educação na Primeira República, podem ser encontrados na coleção da Biblioteca, como se verifica na relação que se segue.

- *A Eschola Publica: revista trimensal de pedagogia pratica.* 1896-1897;
- *Educação: revista popular, assuntos geraes e pedagógicos.* 1902-1903;
- *Educação: órgão do Departamento de Educação.* 1902-1947;
- *Revista do Ensino da Associação Beneficente do Professorado Público de São Paulo.* 1902-1918;
- *Anuário do Ensino em São Paulo.* 1907-1937;
- *O Estudo: revista de educação e ensino.* 1920-1935;
- *Educação: órgão da Diretoria da Instrução Pública.* 1927-1932.
- *Escola Nova: órgão da Diretoria Geral da Instrução Pública de São Paulo.* 1930-1931;

E mais: espelhando a força econômica advinda do café, saem dos prelos publicações agrícolas qualificadas, cabendo registro na coleção ao *Boletim do Instituto do Café* (SP, 1931-1941), que prosseguiu como *Boletim da Superintendência dos Serviços do Café* (1942-1962), da Secretaria da Fazenda de São Paulo, publicação que, nascida após a crise de 29, procurou otimizar a comercialização do produto.

Todavia, a prodigalidade de periódicos agrícolas identificados na Biblioteca é de grande monta. Eram publicações que, em geral, também contavam com retaguarda econômica do governo, além da colaboração dos melhores profissionais da área, ligados ao Instituto Agronômico de Campinas, à Escola Superior Luís de Queirós e ao Instituto Biológico de São Paulo. Muitas delas, como estratégia de venda, traziam no subtítulo as chamadas: agricultura, literatura e esportes, entre outros assuntos de apelo comercial. Nesse sentido, conformaram periodismo de qualidade, longevo, de fatura superior e temáticas diversificadas, constituindo segmento de excelência da coleção de periódicos da Biblioteca. Registramos aqui apenas as mais antigas, publicações raras do século XIX, destacando-se o *Jornal da Sociedade de Agricultura, Commercio e Industria da província da Bahia* (Salvador, 1833-1834); o *Jornal do Agricultor* (RJ, 1879-1893), substituído a partir de 1901 pelo *Jornal dos Agricultores;* e *A Lavoura* (RJ, desde 1897), ainda corrente, a mais antiga revista do agronegócio brasileiro, da qual a Biblioteca possui os números publicados de 1898 a 1973.

No mesmo quadro do surto cafeeiro e visando seu ágil escoamento, impôs-se o trem. O Sudeste do país, em particular, engatou-se na ferrovia, levando os trilhos a avançar pelos confins do território

REVISTA MARITIMA
BRAZILEIRA

Anno XXXII — JULHO DE 1912 — Num. 1

SUMMARIO

A APPLICAÇÃO DOS MOTORES DE COMBUSTÃO INTERNA AOS NAVIOS DAS FROTILHAS DE MATTO GROSSO E DO AMAZONAS — Capitão de fragata H. Boiteux . . . 1
OPERAÇÕES MARITIMAS DA GUERRA RUSSO-JAPONEZA — Trad. de R. T. . . . 11
RADIOTELEGRAPHIA — M. C. G. Coutinho . . . 61
MEMORIAS E REFLEXÕES SOBRE O RIO DA PRATA, extrahidas do diario de um official da marinha brazileira (Jacintho Roque de Senna Pereira) e publicadas em 1849 . . . 69
ORGANISAÇÃO NAVAL — Capitão de mar e guerra Américo Silvado . . . 95
SANTA CATHARINA NA MARINHA — Capitão de fragata H. Boiteux . . . 119
REVISTA DE REVISTAS — Capitão-tenente Oscar Pacheco . . . 133
NOTICIARIO MARITIMO — F. P. . . . 153
NECROLOGIA . . . 189
BIBLIOTHECA DA MARINHA (Relação dos livros entrados durante os mezes de abril a junho de 1912) . . . 191

RIO DE JANEIRO

Officinas Graphicas da Liga Maritima Brazileira — Avenida Rio Branco, 180

1912

Revista Maritima Brazileira, Rio de Janeiro, v.32, 1912.
Acervo BMA

paulista, parte dele ainda por desbravar. O progresso dos meios de comunicação viabilizou não só o escoamento agropastoril e industrial interno, como o despacho dos produtos para o exterior, também beneficiado pelos navios a vapor, enquanto deflagrava a ocupação do território. A divulgação pela imprensa da importância da máquina a vapor foi uma constante e traduziu-se em periodismo que veiculou, sobretudo, o modal ferroviário, visto como arauto do progresso, metáfora da modernidade. Longe de mencionar a totalidade de títulos sobre o assunto, selecionamos alguns dos mais importantes, na relação a seguir.

- *Revista Industrial Illustrada*. Nova York, 1878-1879, editada por José Carlos Rodrigues, futuro proprietário do *Jornal do Commercio* do Rio de Janeiro;
- *Revista de Estradas de Ferro*. Rio de Janeiro, 1885-1940, publicação pioneira sobre ferrovias no Brasil;
- *Boletim da Diretoria da Indústria e Comércio*. 1907-1929, significativa para o estudo do movimento ferroviário no Estado;
- *Estatística das Estradas de Ferro da União e das fiscalizadas pela União*. 1910-1970, sobre as ferrovias estatais;
- *Brazil Ferro-Carril*. 1913-1950, que praticamente documentou a implantação, apogeu e declínio da ferrovia no país.

O transporte rodoviário, que veio gradualmente substituir o ferroviário, é tema de algumas revistas da coleção. Localizou-se na Mário a especial publicação paulista *A Estrada de Rodagem* (1921-1924), que prosseguiu como *Boas Estradas: órgão oficial da Associação Permanente de Estradas* (1924-1928), periódico que ilustra, ainda, a ocupação do interior paulista, em várias perspectivas. Notável, igualmente, a *Revista Marítima Brasileira* (RJ, desde 1881), ainda corrente, da qual a Mário conta com números de 1906 a 1960.

Na República Federativa, que transformara as antigas Províncias em Estados, a afirmação das respectivas identidades deu ensejo à criação dos tantos Institutos Históricos e Geográficos, a partir do modelo referencial do Rio de Janeiro, o Instituto Histórico e Geográfico Brasileiro (IHGB), de 1838. Dali foi lançada, já em 1839, a *Revista do Instituto Histórico e Geográfico Brasileiro*, seminal para as subsequentes publicações congêneres das províncias e/ou estados, veículos de legitimação da história local e representações do *ethos* cultural dos territórios plurais que conformavam o país. Guarda-se na Biblioteca boa parte destas publicações, que, embora nem sempre formem coleções completas, permitem pesquisas de fontes primárias de histórias regionais e tantas outras. Recuperamos aqui apenas alguns estados em que este modelo se deu, com anos aproximados de sua circulação, presentes nas estantes da Biblioteca: revistas dos institutos históricos e geográficos de Pernambuco (1863-2002), Alagoas (1872-2009), Ceará (1887-2008), Bahia (1894-2010), São Paulo (1895-2004), Rio Grande do Sul (1902-2008), Paraíba (1909-2002), Sergipe (1913-1915), Mato Grosso (1919-2000) e Piauí (1920-1922).

Nesse momento também circulam revistas similares, que se propunham ao estudo do território em várias dimensões, a exemplo da tradicional *Revista do Museu Paulista* (SP, 1895-1999), com as novas séries que chegam até o presente. À frente daquela instituição e de seu periódico estiveram o pioneiro Von Ihering e Afonso Taunay, este último com gestão coeva aos preparativos da comemoração do Centenário da Independência, em 1922, momento de expressiva recuperação de documentos paulistas e sua farta reprodução no periódico; momento fértil também, para que se estampasse em tratamento ufanista, a celebração da festa nacional. As revistas foram o veículo preferencial dessa mensagem.

Em São Paulo, por volta dos anos de 1930/40, antes mesmo que uma vasta bibliografia encomiástica festejasse o estado, coube às revistas da capital, recém-saída do confronto da Revolução de 32, expressar embevecimento para com o território de "Piratininga". Do evento que é referência emblemática da atuação paulista, tem-se na Mário cinco volumes encadernados com jornais e revistas publicados na cidade nos anos de 1932 e 1934, a saber: *Correio Paulistano*, *Correio de São Paulo*, *O Cruzeiro*, *Diário da Noite*, *Diário de São Paulo*, *Diário Nacional*, *Diário Popular*, *A Epopea de Piratininga* (publicação especial, à parte), *O Estado de S. Paulo*, *Folha da Manhã*, *Folha da Noite*, *A Gazeta*, *A Platéa*. E mais: há um volume com recortes de vários jornais do Brasil sobre o movimento, de 1933 a 1946, que pertenceu a Paulo Duarte.

Do importante capítulo da cultura paulista relativo à Semana de 22, com seu rastro de revistas modernistas e modernas pelo país, registram-se coleções significativas, desde as revistas precursoras àquelas definidoras do programa e até mesmo as subsequentes. Dentre as precursoras, tem-se a coleção única de *O Pirralho* (SP, 1911-1918), fundada por Oswald de Andrade e Dolor de Brito, com ilustrações de Voltolino, Di Cavalcanti e Ferrignac. Na redação mesclavam-se as figuras peculiares de parnasianos, regionalistas e futuros modernistas: Amadeu Amaral, Cornélio Pires, Juó Bananére (Alexandre Ribeiro Marcondes Machado), Emílio de Menezes e Guilherme de Almeida. De *Klaxon* (SP, 1922-1923), a publicação que balizou o movimento, tem-se a coleção completa original, em tudo inovadora. De etapas posteriores, constam as coleções originais de *Terra Roxa e Outras Terras* (SP, 1926); *Revista de Antropofagia* (SP, 1928-1929). Em segmentos diferenciados, tem-se o *Diário do Abax'o Piques* (SP, 1933), "diario semanale di grande inpurtanza: prupietá di una sucietá anonima cumpretamenti disconhicida", ilustrado por Voltolino e redigido no macarrônico por Juó Bananére, e *O Homem do Povo* (SP, 1931), jornal criado e dirigido por Oswald de Andrade e Patrícia Galvão, este em edição fac-similar de 1984.

Do convívio de Mário de Andrade com os intelectuais mineiros resultou *A Revista* (Belo Horizonte, 1925-1926), publicada por Martins de Almeida e um jovem Carlos Drummond de Andrade, título também presente na Biblioteca. Na contramão do modernismo paulista, lança-se, a propósito do Centenário da Independência, a revista *A Exposição de 1922* (RJ, 1922), onde estão postos os valores ufanistas com que então se representou a nação, traduzidos em edificações de ecletismo triunfante e parnasianismo exacerbado.

O Cruzeiro, Rio de Janeiro, v.17 e v.24, 1948.
Acervo BMA

REPRESENTAÇÕES DA VANGUARDA

As primeiras menções a *films* nas revistas paulistanas, por volta de 1903-1904, coincidem com a emergência das salas de cinema pioneiras na cidade, conforme relatava, em 1919, um cronista de *O Estado*, dando conta também de que três delas já se achavam demolidas[20]. Em detrimento do teatro, o cinema importado triunfou no Brasil, um dos mais atraentes entrepostos comerciais para o poderoso mercado da sétima arte, com uma especificidade: via Hollywood. O movimento era de investimento recíproco: a revista vendia, porque trazia as novidades de Hollywood, com seus atores e estrelas nas capas de *couché* brilhante, enquanto o cinema beneficiava-se da revista como instrumento publicitário dos mais efetivos da mídia da época. Ampliou-se mais ainda a partir de 1915, com a instalação dos grandes estúdios da *Universal*[21].

O lançamento da revista *A Scena Muda*, em 1921, no Rio de Janeiro, também presente no acervo, sinalizava seu avanço e o favoritismo do público para com o gênero. E na sucessão de *clichés* ilustrados dos periódicos, o traço *art-nouveau* ficava para trás, dando lugar

20. *O Estado de S. Paulo*, São Paulo, 16 set. 1919, p. 4.
21. Araujo, Inácio. *Cinema:* o mundo em movimento. São Paulo: Scipione, 1995.

ao *art-déco*, solução estética das artes decorativas que os cenários da "Meca" cinematográfica também ajudaram a divulgar.

Na Mário, a lista de revistas cinematográficas é expressiva. Vale mencionar algumas, na relação que se segue, para posterior levantamento exaustivo por parte do leitor interessado.

- *A Scena Muda*. Rio de Janeiro, 1921-1955; passa a se chamar *A Cena Muda*: revista de atualidades, em 1944; faltam os anos de 1936-40;
- *Cinearte*. Rio de Janeiro, 1926-1930;
- *Cinearte Album*. Rio de Janeiro, 1927; continuação do *Álbum Cinematográfico Para Todos*;
- *Cine Modearte*: grande revista quinzenal de cine, moda e arte. São Paulo, 1928-1929;
- *Cinelandia*. Los Angeles, 1928-1948, distribuída por Spanish American Publishers;
- *Cine Repórter*: semanário cinematográfico. São Paulo, 1934-1966; faltam os anos de 1934-1945 e 1953-1956;
- *Cine-Revista*: revista dos cinemas. São Paulo, 1935-1966, com volumes dos anos de 1936 e de 1940-1955; e o suplemento *Cine Álbum*, de 1941;
- *O Informador da Cinematographia*. São Paulo, 1937-1940;
- *O Cinema Moderno*. Rio de Janeiro, 1943-1945;
- *Sight and Sound*. Londres, 1943-1982;
- *Boletim Foto Cine Club Bandeirante*. São Paulo. 1947-1981;
- *Íris*: revista brasileira de foto, cinema e artes gráficas. São Paulo, 1947-1999;
- *Cine Revue*: le magazine internationale du cinema. Paris, 1951-1963;
- *Cinelandia*. Rio de Janeiro, 1952-1965;
- *Cahiers du Cinéma*. Paris, 1953-1981;
- *Boletim do Festival*: I Festival Internacional de Cinema do Brasil. São Paulo, 1954;
- *Filmelandia*. Rio de Janeiro, 1955-1962;
- *Cine cubano*. Habana, 1961-1981;
- *Filmcritica*. Roma, 1961-1981;
- *Filme Cultura*. Rio de Janeiro, 1966-1986;

- *Guia de Filmes*. Rio de Janeiro, 1967-1987.

Agradável surpresa terá o leitor ao encontrar na Mário muitos números da *The New Yorker*, a emblemática publicação norte-americana, cujas caricaturas e charges, desde 1925, figuram como a melhor representação do humor e do traço caricato, não só alusivos aos nova-iorquinos, mas, voltados à crítica internacional. O mesmo ocorre com seus textos, firmados por nomes expressivos do jornalismo e literatura internacionais.

O leitor terá acesso, ainda, à então inovadora revista norte-americana *Esquire*, de 1933, voltada para o público masculino, editada pelo império da Hearst Corporation, então referência de imprensa qualificada e sofisticada e hoje publicada em vários cantos do globo.

Mas há também a coleção completa de *Manchete*, hoje raridade como publicação periódica, onde a fotorreportagem conheceu qualidade e avanços. E por que não lembrar de um solitário, mas extremamente significativo e valioso, primeiro número do *Pato Donald*, de 12 de julho de 1950? Até este a Mário tem!

CONVITE À PESQUISA

Os limites deste texto impõem sua finalização, a despeito da sensação de que tantos outros segmentos e títulos do passado e do presente estão fora destas páginas. Afinal, são quase 3 milhões de fascículos de jornais e revistas preparados para sua melhor disponibilização pública, boa parte deles aguardando estudos circunstanciados que iluminem as tantas dimensões de seus significados.

Não procedemos no âmbito deste artigo ao modo dos *inventários* e *catálogos*, com o rigor da citação formal de título, conteúdo e forma. Antes, percorremos alguns tantos exemplares, por evocações indiscriminadas de títulos e/ou coleções, representativas da miríade de temáticas e temporalidades ali guardadas. Talvez a nomeação de alguns periódicos decepcione, tidos como publicações comezinhas ou de alcance restrito, limitados em sua segmentação, de interesse tão só de determinado público ou de áreas específicas que lhe são afetas. Contudo, é sabido que a análise contextualizada do mais aparentemente insignificante título o coloca como elo fundamental da corrente de

Manchete
CR$ 3,00 ● N.º 949 ● RIO DE JANEIRO, 27 DE JUNHO DE 1970
ESPECIAL
A história completa de cinco dias de terror
O SEQÜESTRO DO EMBAIXADOR ALEMÃO
Em Portugal: Esc. 20$00
Eliane, a beleza loura do Rio
GRÁTIS
UM CARTAZ DA SELEÇÃO DO BRASIL
TOSTÃO COMANDA A ALEGRIA NO MÉXICO

nosso processo histórico e de suas representações, permitindo estudos sistemáticos de assuntos inesgotáveis.

Movimentos políticos de "vencidos" e "vencedores", a construção de ideologias que marcaram épocas, a literatura em suas tantas abordagens, a arte gráfica, a propaganda e a publicidade, tudo está contido nas infinitas temáticas presentes nos periódicos. Nelas, a História é apreendida na dinâmica de seu cotidiano, por meio de documentos produzidos no calor do acontecimento e, portanto, potencializados para melhor apreensão do passado.

Na Biblioteca Mário de Andrade, agora renovada, milhões de fascículos de periódicos esperam pelo leitor, para descobertas ainda insuspeitas de seu acervo. Vale a investigação!

Manchete, Rio de Janeiro, v.18, 1970.
Acervo BMA

BIBLIOGRAFIA

Araujo, Inácio. *Cinema: o mundo em movimento*. São Paulo: Scipione, 1995.

Azevedo, Sílvia Maria. *Brasil em imagens*: um estudo da revista Ilustração Brasileira, 1876-1878. São Paulo: Ed. Unesp, 2010.

Camargo, Ana Maria de Almeida. *A imprensa periódica como objeto de instrumento de trabalho*: catálogo da Hemeroteca Júlio Mesquita do IHGSP. São Paulo, 1975. 2v. Tese (Doutoramento), USP/FFLCH – História.

Cohen, Ilka Stern. *Relatório de títulos periódicos de revistas francesas e alemãs da Biblioteca Prestes Maia*. São Paulo: SMC, 2010. mimeo.

Crestani, Jaison Luís. *Machado de Assis no Jornal das Famílias*. São Paulo: Edusp; Nankin Editorial, 2009.

Cruz, Heloisa Faria (org.). *São Paulo em revista*: catálogo de publicações da imprensa cultural e de variedades paulistana, 1870-1930. São Paulo: Arquivo do Estado, 1997.

De Luca, Tania Regina. *Leituras, projetos e revistas do Brasil*: 1916-1944. São Paulo: Ed. Unesp, 2011.

Dimas, Antonio. *Tempos eufóricos*: análise da revista Kosmos, 1904-1909. São Paulo: Ática, 1983.

Gaus, Valéria. *Considerações sobre o uso do catálogo de obras raras na Biblioteca Nacional*: subsídios para viabilizar a automação do catálogo principal e otimizar o atendimento ao público local e a outras bibliotecas. Rio de Janeiro, 1990. Dissertação (Mestrado) IBICT/UFRJ – Biblioteconomia.

Lana, Ana Lúcia Duarte; Ferrari, Adriana Cybele, coords. *Catálogo das coleções especiais e acervos museológicos da USP*. São Paulo: CPC/SIBI-USP, 2003.

Lustosa, Isabel. *Insultos impressos*: a guerra dos jornalistas na Independência, 1821-1823. São Paulo: Companhia das Letras, 2000.

Martins, Ana Luiza. *Revistas em revista*: imprensa e práticas culturais em tempos de República, São Paulo, 1890-1922. São Paulo: Imesp; Fapesp; Edusp, 2001.

Martins, Ana Luiza; De Luca, Tânia Regina. *História da imprensa no Brasil*. São Paulo: Editora Contexto, 2008.

MINDLIN, José. *Destaques da biblioteca inDisciplinada de Guita e José Mindlin*; introdução e comentários de José Mindlin. São Paulo: Edusp; Fapesp; Rio de Janeiro: Fundação Biblioteca Nacional, 2005. 2 v.
______. Illustrated books and periodicals in Brazil, 1875-1945. *The Journal of Decorative and Propaganda Arts*, Miami, n. 21, p.32-41, 1995.
MORAES, Rubens Borba de. *O bibliófilo aprendiz*, ou, Prosa de um velho colecionador para ser lida por quem gosta de livros, mas pode também servir de pequeno guia aos que desejam formar uma coleção de obras raras antigas ou modernas. São Paulo: Companhia Editora Nacional, 1965.
______. *Bibliographia brasiliana*: livros raros sobre o Brasil publicados desde 1504 até 1900 e obras de autores brasileiros do período colonial; tradução Jesualdo Correia; Cristina Antunes; Elisa Nazarian. São Paulo: Edusp; Fapesp, 2010.
______. *Testemunha ocular* (recordações); organização e notas de Antonio Agenor Briquet de Lemos. Brasília: Briquet de Lemos Livros, 2011.
MOREL, Marco. *O Patriota*: jornal literário, político, mercantil &c (1813-1814). Disponível em: http://www.brasiliana.usp.br/node/439 Acessado em 17.09.2011.
NERY, Laura Moutinho. *A caricatura*: microcosmo da questão da arte na modernidade. Rio de Janeiro, 2006. Tese (Doutoramento), PUC-RJ – Depto. História – História Social da Cultura
Passagens oceânicas: a revista *Nitheroy* & a *Revue des Deux Mondes*. Disponível em http://bndigital.bn.br/francebr/index.htm Acessado em 17.10.2011
PAIVA, Pollianny Pontes. *Humores domingueiros do Diabo Coxo, jornal paulistano editado no século XIX*: um estudo lingüístico e sociocultural. Belo Horizonte, 2006. Dissertação (Mestrado), PUC-MG – Linguística e Língua Portuguesa.
PINHEIRO, Ana Virginia Teixeira da Paz. *Que é livro raro?*: uma metodologia para o estabelecimento de critérios de raridade bibliográfica. Rio de Janeiro: Presença, 1989.
SANT'ANA, Rizio Bruno. Como definir obras raras: critérios da Biblioteca Mário de Andrade. *Revista da Biblioteca Mário de Andrade*, São Paulo, v.54, p.231-252, jan./dez. 1996. Disponível em: http://www.fe.unicamp.br/revista/index.php/etd/article/download/1886/1727. Acessado em 17.10.2011.

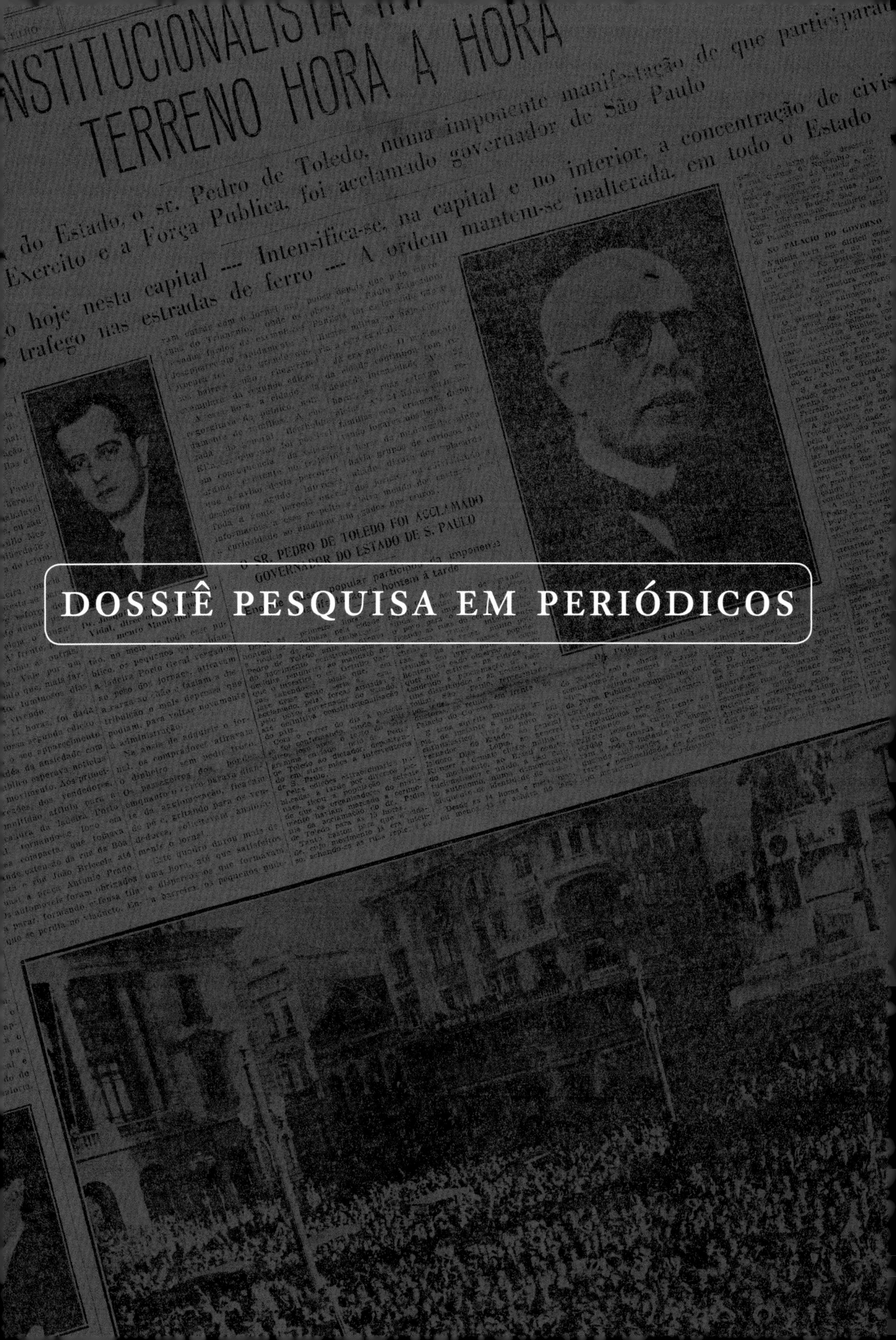

DOSSIÊ PESQUISA EM PERIÓDICOS

Dossiê Pesquisa em Periódicos

O trabalho de pesquisa em revistas e jornais requer paciência e dedicação, e o esforço costuma ser recompensado: os periódicos registram no calor da hora as notícias, os fatos, as versões, a vida intelectual e cotidiana de pequenos povoados e das grandes cidades. Voltar a esses registros efêmeros, em arquivos e acervos, permite ao pesquisador reorganizar o passado, com a perspectiva do presente, em áreas tão variadas como a literatura, as artes, o teatro, a política, a história e os costumes. Por ocasião da reabertura da coleção de periódicos da Biblioteca Mário de Andrade, este Dossiê apresenta reflexões de pesquisadores que desenvolveram importantes trabalhos com jornais e revistas. Matías Molina faz um breve panorama do periodismo paulista desde o século XIX. Tania Brandão apresenta um estudo sobre teatro feito a partir de material de imprensa. Valéria Guimarães aborda *faits divers* publicados em revistas ilustradas brasileiras como *Fon-Fon*, *Careta* e *A Cigarra*. E a crônica de Roberto Pompeu de Toledo fala do prazer e do acaso na pesquisa em periódicos.

Um olhar sobre o periodismo paulista

MATÍAS M. MOLINA*

Apenas quando recebi o convite para escrever um artigo para esta Revista percebi a enorme e antiga dívida que tenho com a Biblioteca Mário de Andrade.

Lembrei que, quando era adolescente, na década de 1950, costumava visitar uma vez por semana, durante vários anos, a Biblioteca Circulante, com entrada pela avenida São Luís, para devolver um ou dois livros que tinha levado e renovar o estoque de leitura para os dias seguintes. Devo ter sido, provavelmente, um dos mais assíduos frequentadores da Circulante naquela época. Tive uma indigestão de leitura. Eram obras de ficção, de política, história, crítica literária, arte, jornalismo, filosofia.

Sempre gostei de ler e continuei lendo, até hoje, mas nunca como naquela época. Acredito que tenho vivido dos juros do capital acumulado daqueles anos de leituras indiscriminadas.

Fui assíduo visitante da seção de jornais e revistas, situada no térreo, numa área semicircular envidraçada. Eu trabalhava perto, na rua Xavier de Toledo, distante três ou quatro minutos andando devagar, e quase todos os dias, das duas horas do período do almoço costumava passar uma lendo jornais e revistas. A biblioteca tinha o que era para mim um verdadeiro tesouro. Dava-se ao luxo de assinar revistas como *The Spectator* e *New Statesman*, da Inglaterra, e *The New Republic*,

* Matías M. Molina é historiador e jornalista, autor de *Os melhores jornais do mundo*.

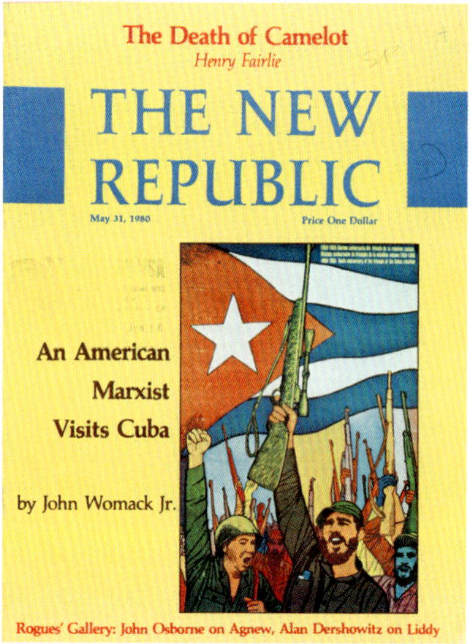

The New Republic: a journal of politics and the arts, Washington, 1980.
Acervo BMA

The Nation e *The Reporter*, dos Estados Unidos, que chegavam por via aérea, estando disponíveis poucos dias depois de sua edição. Nenhuma delas se vendia nas bancas. Como comparação, os semanários franceses *L'Express* ou *France-Observateur*, que eram distribuídos no Brasil, só chegavam com quatro ou cinco semanas de atraso. Alguém me disse que a decisão de assinar aquelas e outras publicações por avião fora de Sérgio Milliet quando era diretor da Biblioteca. A ele, meus agradecimentos póstumos.

As publicações sobre cinema e arte estavam localizadas na Sala de Artes Sérgio Milliet. Eu queria ser jornalista e escrever sobre cinema e política internacional. Era sócio da Cinemateca Brasileira, também perto, na rua 7 de Abril, e tinha na seção de Livros Raros – para mim, de "livros caros" – uma grande variedade de obras sobre cinema. Anos depois, como jornalista eu escreveria frequentemente sobre política internacional – meu primeiro emprego num jornal diário foi na seção Internacional da *Folha de S. Paulo* –, mas nunca escrevi uma única linha sobre cinema. Sem que a sétima arte fosse prejudicada por isso, pelo contrário.

Fui também frequentador do grande salão de leitura. Eu estudava História no curso noturno da Faculdade de Filosofia, Ciências e Letras, na rua Maria Antônia, perto do trabalho e da biblioteca. Podia ir andando ou pegar o bonde Vila Buarque. Na faculdade estavam disponíveis a biblioteca do Departamento de História e a biblioteca geral da faculdade, com entrada pelo pátio. Também pelo pátio havia uma entrada ao prédio da Faculdade de Economia, a cuja biblioteca os estudantes da Filosofia tínhamos acesso.

Mas a Mário de Andrade tinha um apelo especial para os estudantes da faculdade que vinha de anos anteriores. Fernando Henrique e Ruth Cardoso, quando estudantes, ficaram "conhecidos como a 'turma da biblioteca' (os dois não saíam da Mário de Andrade)", como relata Antonio Gonçalves Filho no caderno *Sabático* do jornal *O Estado de S. Paulo* de 12 de novembro de 2011.

Eu frequentava o salão de leitura principalmente aos domingos. Ficava lotado, com uma longa fila de espera. A Biblioteca, além de centro de leitura e estudo, tornou-se ponto de encontros políticos, amistosos e até amorosos. Quando o então prefeito de São Paulo, Adhemar de Barros, decidiu fechar a Biblioteca aos domingos alegando medidas de economia, as reclamações e protestos foram tão grandes que teve que voltar atrás. Atualmente, a Biblioteca fecha no fim de semana.[1] Aparentemente, os estudantes perderam o interesse ou não reclamaram tanto quanto deveriam.

Não raro, encontrava na Biblioteca estudantes da faculdade que não tinha visto durante a semana. Uma das pessoas que lembro ter visto com frequência na Mário de Andrade foi Maurício Tragtenberg, de enorme brilho intelectual. Ele não tinha concluído o secundário, mas foi-lhe permitido prestar o vestibular por "notório saber" ou cláusula semelhante. Estava um ano na minha frente no curso de História. Foi ele quem me aconselhou a ler Raymond Aron. Voltei a encontrá-lo, como companheiro de trabalho na seção Internacional da *Folha*, onde eu já estava. Depois do golpe militar de 1964, Maurício fora proibido de lecionar. O sargento que entrou em sua casa e viu livros em francês, espanhol, inglês e alemão, ficou chocado e detectou indícios de subversão: "Está tudo em russo, meu filho. Tudo em russo!". A pessoa generosa que foi Cláudio Abramo lhe deu o emprego

1. Nota da Revista da Biblioteca Mário de Andrade: a Biblioteca fecha aos domingos e feriados. Aos sábados, não abrem ao público as salas de atendimento das coleções fixas – Obras Raras, Coleção Geral e Artes – mas a Circulante e a sala de Atualidades (jornais e revistas correntes) funcionam das 10h às 17h e é possível solicitar, com antecedência, a consulta aos livros da Coleção Geral e de Artes diretamente na Circulante.

Correio Paulistano, São Paulo, 1854.
Acervo BMA

A Provincia de S. Paulo, São Paulo, 1875.
Acervo BMA

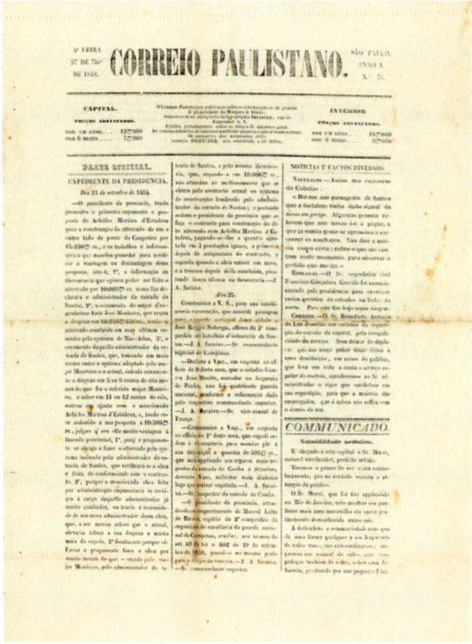
CORREIO PAULISTANO.

A PROVINCIA DE SÃO PAULO

PROPRIEDADE DE UMA ASSOCIAÇÃO COMMANDITARIA

REDACTORES AMERICO DE CAMPOS E F. RANGEL PESTANA

na *Folha*. Depois, ele voltaria a lecionar como professor da Fundação Getúlio Vargas, entre outros lugares.

Concluído o curso, minha assiduidade à Biblioteca diminuiu consideravelmente. Eu tinha estudado História, não para lecionar, como era o caso da grande maioria de meus colegas de curso, mas como preparação para o jornalismo. Quando quis preparar uma tese sobre a imprensa, procurei Sérgio Buarque de Holanda, meu professor na faculdade, e ele sugeriu que me concentrasse na imprensa de São Paulo, dos primeiros anos da República até o fim da época dos presidentes paulistas, isto é, de 1889 até 1906.

Uma indicação excelente. Nesse período, a imprensa de São Paulo – me concentrei nos jornais da capital – foi de notável dinamismo. Já existiam os dois grandes jornais tradicionais, o *Correio Paulistano* e *A Província de S. Paulo*. O *Correio*, o mais antigo, fundado em 1854, depois de uma fase de contínuas mudanças de orientação e de donos, caminhava para estabilizar-se e tornar-se porta-voz do Partido Republicano Paulista (PRP), representante da oligarquia paulista. *A Província*, que nascera em 1875 como órgão republicano, mudou de nome para *O Estado de S. Paulo* com o novo regime e ganhava influência, mas atravessou períodos de incertezas até passar ao comando de Júlio Mesquita.

Circulava também o *Diário Popular*, fundado em 1884 por José Maria Lisboa, Horácio de Carvalho e Américo de Campos, dirigentes da *Província* que foram colocados para fora – "postos inesperadamente à margem" como disseram – por Alberto Salles, no curto período em que este assumiu o controle do jornal. Foi no *Diário Popular* que Aristides Lobo escreveu do Rio de Janeiro, em 18 de novembro de 1889, que o povo assistira "bestializado" à queda da Monarquia. Hoje circula como *Diário de S. Paulo*, nome que foi adotado por meia dúzia de jornais na história da imprensa paulista.

É desse período *O Commercio de S. Paulo*, lançado em 1893. Passou ao controle de Eduardo Prado que o transformou numa folha monarquista. Durante a guerra de Canudos, os republicanos se exaltaram e destruíram as instalações do jornal. Vendido a outro Prado, Armando, o jornal mudou de orientação.

O jornal paulista *A Platéa* teve uma existência agitada. Foi fundado no fim de 1888 como jornal de humor. Sua publicação foi proibida por Floriano Peixoto e teve que mudar de nome para continuar circulando. Sua orientação política era oscilante, passando a apoiar, de um momento para outro, exatamente os princípios que antes atacava – e vice-versa.

O *Diário Mercantil*, fundado em 1884, foi um dos jornais mais admirados e elogiados de São Paulo no século XIX. Era bem escrito,

Diario Popular

PROPRIEDADE DE LISBOA, CAMPOS & COMP.

ANNO VI

ASSUMPTOS DO DIA

UM POUCO DE TUDO

NOTICIARIO

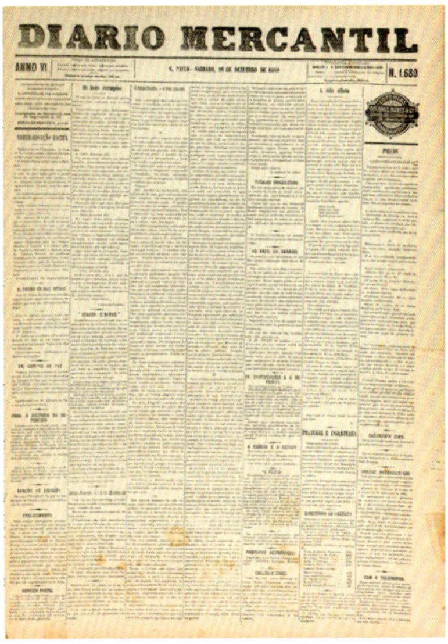

DIARIO MERCANTIL

ANNO VI

N. 1680

Diário Popular, São Paulo, 1889.
Acervo BMA

Diário Mercantil, São Paulo, 1889.
Acervo BMA

O ESTADO DE S. PAULO

JULIO MESQUITA
(DIRECTOR — 1891-1927)

ANNO LVIII | S. PAULO — SEGUNDA-FEIRA, 11 DE JULHO DE 1932 | NUM. 19.217

O MOVIMENTO CONSTITUCIONALISTA INICIADO EM S. PAULO GANHA TERRENO HORA A HORA

Após renunciar á Interventoria do Estado, o sr. Pedro de Toledo, numa imponente manifestação de que participaram o povo, o Exercito e a Força Publica, foi acclamado governador de São Paulo

O general Klinger é esperado hoje nesta capital — Intensifica-se, na capital e no interior, a concentração de civis — Restabelecimento do trafego nas estradas de ferro — A ordem mantem-se inalterada, em todo o Estado

A TARDE E A NOITE DE HONTEM

O SR. PEDRO DE TOLEDO FOI ACCLAMADO GOVERNADOR DO ESTADO DE S. PAULO

Enorme massa popular participou da imponente manifestação de hontem á tarde

bem apresentado, de bom gosto e uma das plataformas literárias da época. Chegou a ser o segundo jornal em circulação, logo depois da *Província*. Mas essa etapa foi curta. Quando saíram os fundadores, ficou dependendo das finanças públicas e mudou várias vezes não só de orientação, como também de nome.

A Gazeta foi lançada em 1906 como jornal vespertino por Adolpho Araujo, que tinha sido redator de *O Commercio de S. Paulo* e diretor-gerente de *A Federação*, a última encarnação em que se transformara o *Diário Mercantil*. Recebeu ajuda do governo de São Paulo e do PRP. Seria posteriormente, entre as décadas de 1920 e 1950, o vespertino mais influente de São Paulo.

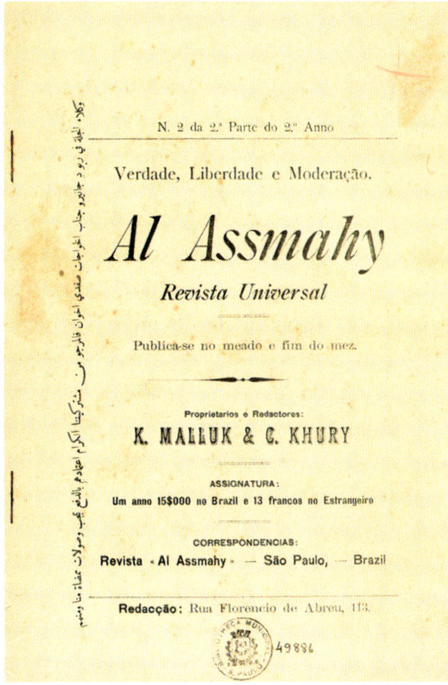
N. 2 da 2.ª Parte do 2.º Anno

Verdade, Liberdade e Moderação.

Al Assmahy

Revista Universal

Publica-se no meado e fim do mez.

Proprietarios e Redactores:

K. MALLUK & C. KHURY

ASSIGNATURA:

Um anno 15$000 no Brazil e 13 francos no Estrangeiro

CORRESPONDENCIAS:

Revista «Al Assmahy» — São Paulo, — Brazil

Redacção: Rua Florencio de Abreu, 113.

Al-Assmahy: revista universal, São Paulo, 1900.
Acervo BMA

O Estado de S. Paulo, São Paulo, 1932.
Acervo BMA

No período escolhido para a tese, de 1889 a 1906, foram lançadas dezenas de jornais de todas as tendências, com uma rica safra de jornais anarquistas e sindicalistas, de curta duração e, como metade da população da cidade era de imigrantes, uma grande variedade de publicações em língua estrangeira. Em São Paulo chegaram a circular, simultaneamente, cinco diários em italiano. O maior e mais influente, *Fanfulla*, de Vitaliano Rotellini, foi o primeiro jornal da cidade a utilizar linotipos para a composição do texto; o segundo foi *O Estado de S. Paulo*. A colônia alemã tinha, entre outros, o *Deutsche-Brasilianische-Presse* e principalmente o *Deutsche Zeitung*; a espanhola *El Diario Español*; a sírio-libanesa o *Al-Assmahy*.

O projeto me entusiasmou. Fiz pesquisas na Biblioteca, mas precisava trabalhar, estava pensando em casar e me faltava tempo. Desisti da tese.

Durante muitos anos, diria décadas, deixei de ir à Mário de Andrade, a não ser para uma raríssima consulta ou algum evento ocasional. E não foi por uma questão de distância. Trabalhei na *Gazeta Mercantil*, quando estava instalada na rua Major Quedinho, a poucos minutos da Biblioteca.

Recentemente, senti sua falta. Eu tinha escrito um livro sobre *Os melhores jornais do mundo*, que se originou de uma série de artigos no jornal *Valor Econômico*. Era minha intenção preparar outro livro sobre os diários da América Latina quando recebi e aceitei uma interessante sugestão da CPFL Cultura para escrever sobre os jornais brasileiros.

Decidi fazer a pesquisa sozinho. Em primeiro lugar, porque pesquisar e escrever sobre a imprensa são, para mim, atividades extremamente lúdicas e empolgantes. Em segundo, porque a pesquisa vai revelando novas informações, abrindo horizontes insuspeitados e mudando, de alguma maneira, o projeto inicial. Não o escopo e as linhas gerais, mas as ênfases e a importância dada a alguns assuntos.

Eu já tinha abundante material sobre a imprensa brasileira, acumulado caoticamente, ao longo de várias décadas, formado por livros, recortes, estudos, anotações e revistas, que levei mais tempo do que imaginava para garimpar e colocar em um mínimo de ordem. Recorri também à internet, uma prodigiosa ferramenta auxiliar, e comecei a pesquisa. Logo percebi a necessidade de mais material bibliográfico, mas a Mário de Andrade, a fonte mais óbvia, estava fechada para reforma. Procurei em livrarias e sebos e comprei pela internet dezenas de livros. Encontrei algumas joias, como o exemplar de mais de mil páginas dedicado ao centenário do *Jornal do Commercio* do Rio de Janeiro, de 1928, talvez a obra mais rica em informação sobre um jornal brasileiro; os *Annaes da imprensa periódica pernambucana*, de Alfredo de Carvalho, de 1908. Das obras recentes, destaco a excelente edição de *O livro no Brasil: sua história*, do inglês Laurence Hallewell.

Mas vários dos livros comprados pela internet foram decepcionantes. O conteúdo esteve longe de alcançar a minha expectativa, possivelmente otimista em excesso. Uma consulta à Biblioteca, se na ocasião estivesse aberta, e umas linhas de anotações teriam sido suficientes.

Toda pesquisa tem seus percalços. Conto alguns deles. Vi pela internet que um exemplar raríssimo da *Memória histórica sobre o Correio Paulistano*, de 1904, estava disponível em uma biblioteca de São Paulo. Fui até lá e, depois de uma longa procura, a bibliotecária, compungida, disse que não conseguira encontrar a obra, talvez extraviada em alguma mudança. Mais de um ano depois encontrei uns apontamentos antigos, feitos quando preparava a tese, logo abandonada, sobre a imprensa paulista. Neles havia um longo resumo e comentários sobre esse livro que fizera consultando um exemplar na Mário de Andrade. Fiquei aliviado. Mas em novembro de 2011 voltei à Biblioteca Mário de Andrade para reler de novo a obra. O bibliotecário, também compungido, disse que não a encontrou. Curiosamente, dois exemplares da mesma obra rara não foram localizados em duas bibliotecas diferentes. Exatamente o livro que eu procurava. Uma semana depois tive a informação que há um exemplar na Universidade de São Paulo. Espero que ainda esteja lá. Posteriormente também soube, por meio da equipe da Mário de Andrade, que o livro em questão fora transferido para a coleção de Obras Raras. Certamente voltarei a consultá-lo em breve.

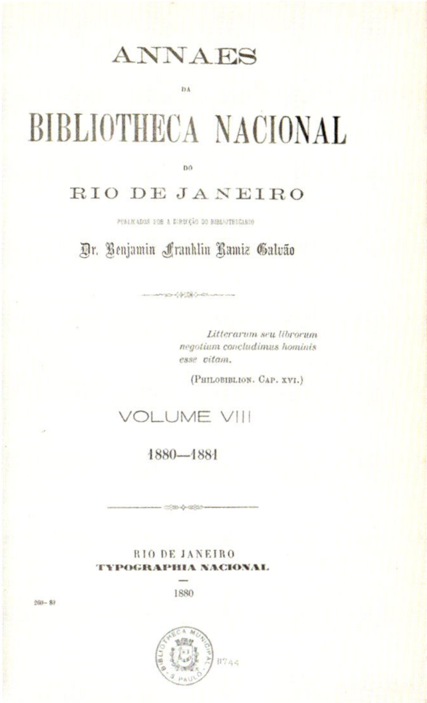
ANNAES
DA
BIBLIOTHECA NACIONAL
DO
RIO DE JANEIRO
PUBLICADOS SOB A DIRECÇÃO DO BIBLIOTHECARIO
Dr. Benjamin Franklin Ramiz Galvão

Litterarum seu librorum negotium concludimus hominis esse vitam.
(PHILOBIBLION. CAP. XVI.)

VOLUME VIII
1880—1881

RIO DE JANEIRO
TYPOGRAPHIA NACIONAL
1880

Anais da Biblioteca Nacional, Rio de Janeiro, v.8, 1880.
Acervo BMA

Uma entidade federal de pesquisas financiou um trabalho sobre a imprensa do Rio de Janeiro na década de 1920. Escrevi pedindo um exemplar e tive a encorajadora resposta de que seria mandado. Recebi, porém, não o trabalho, mas uma cópia do projeto apresentado para obter o financiamento da pesquisa. Insisti e fui informado de que na entidade não existia um único exemplar da obra que financiara.

Mais sorte teve o pesquisador com os institutos históricos. O Instituto Histórico de São Paulo digitalizou e colocou em DVD praticamente todo o conteúdo da Revista que edita desde a última década do fim do século XIX, por um preço acessível. Sua consulta é indispensável para quem pretenda pesquisar sobre a imprensa paulista.

O Instituto Histórico e Geográfico Brasileiro, do Rio, também digitalizou e colocou na internet toda a coleção da Revista, que edita desde 1839. Recorri a ela pela rede com frequência. Mas os exemplares que mais me interessavam, referentes a uma edição especial de 1908, dedicada ao primeiro centenário da imprensa brasileira, preparada sob a direção de Alfredo de Carvalho, não estão disponíveis na rede. No entanto, os dois primeiros volumes dessa edição especial podem ser comprados por preços muito acessíveis; o terceiro volume não existe, foi destruído num incêndio.

O acesso pela internet aos *Anais da Biblioteca Nacional* foi fundamental na pesquisa sobre uma obra curiosa do começo do século XVI, a *Copia der Newen Zeytung ausz Presillg Landt* ("Cópia da Nova Gazeta da Terra do Brasil"). Foi também importante o acesso à coleção do primeiro jornal impresso no Brasil, a *Gazeta do Rio de Janeiro*, da Biblioteca Nacional. Mas o número de periódicos digitalizados pela Biblioteca Nacional ainda é reduzido. De grande ajuda, igualmente, foi ter disponível na rede os exemplares do *Correio Braziliense*, de Hipólito José da Costa; o fac-símile do jornal está disponível numa bem cuidada edição impressa. A Brasiliana USP também permite o acesso pela internet a várias joias bibliográficas.

Comentando minhas andanças à procura de dados e referências, meu filho Maurício observou o contraste que existe entre a facilidade das buscas pela internet, que permitem o acesso a obras em todas as partes do globo, e o insubstituível prazer de folhear um livro e de passear entre as prateleiras de bibliotecas e livrarias, encontrando por vezes obras inesperadas ao acaso – é o que os ingleses chamam de *serendipity*, a alegria de encontrar algo que você não esperava.

A reabertura da Biblioteca Mário de Andrade facilitou o trabalho de consulta bibliográfica. Para pesquisar os jornais paulistas recorri à gentileza da *Folha* e de *O Estado de S. Paulo*, que abriram generosamente suas coleções e arquivos e me ajudaram na pesquisa. Para os outros jornais, deverei consultar o Arquivo do Estado e, quando reabrir a seção de periódicos, as coleções da Mário de Andrade – como fazia antes.

Folhas ao vento: da arte de pesquisar e escrever História do Teatro

TANIA BRANDÃO*

É uma certeza popular do século xx à qual nos acostumamos: a principal utilidade para o jornal lido, velho, é virar lixo. Há, no entanto, um absurdo nesta situação, pois os jornais são fragmentos precisos do nosso mundo. Neles estão presentes o nosso tempo, o nosso cotidiano, a nossa memória, por mais apressado que possa ser o olhar que eles lançam ao nosso redor. A condição do jornalismo é a imediaticidade, ela é a sua virtude e a sua falha. Para o pesquisador de História do Teatro, a existência dos jornais criou um espaço de pesquisa novo, precioso, ao materializar com objetividade um vértice, o ponto que dá ao historiador a percepção direta de seu objeto. Vale explicitar esta condição. E mais: vale perguntar também pelo lugar e pelo tratamento do jornal nos acervos de arte. Aqui, desejo fazer uma primeira abordagem do vasto assunto, a partir da última grande pesquisa que realizei e que resultou na edição de um livro.[1]

O tema da relação entre jornal e teatro é muito extenso; exige algumas delimitações, de saída. A referência fundamental aqui é um demarcador cronológico recente. Para entendê-lo, vale indicar um quadro geral – em um primeiro desenho, é possível partir do século

* Tania Brandão é crítica de teatro, pesquisadora e professora de História do Teatro Brasileiro, autora de *Uma empresa e seus segredos:* Companhia Maria Della Costa (1948-1974), entre outros títulos.

1. Brandão, Tania. *Uma empresa e seus segredos:* Companhia Maria Della Costa (1948-1974). São Paulo: Perspectiva, 2008.

XVIII, século que assinala no Ocidente o nascimento do mercado de arte e do jornalismo diário em moldes aproximáveis aos que conhecemos hoje. Neste caso, até o século XIX, temos uma História do Teatro um tanto remota, escrita a partir de um universo de fontes específico, em que o jornalismo tem importância, mas em que não existe o fotojornalismo nem padrões gerais de documentação associáveis aos atuais. Trata-se de um período que definimos como Era Heroica ou do Palco do Nascimento do Primeiro Ator. Não é a área de pesquisa em que atuo, e nunca pensei, no calor do trabalho de campo, sobre as ferramentas de pesquisa adequadas para o estudo do teatro deste tempo.

Um outro recorte, mais próximo, abrange parte do século XIX até meados do século XX. Poderia ser definido como Era de Formulação do Moderno, ainda que o seu primeiro momento abranja uma época em que os grandes atores tenham reinado absolutos, para então serem depostos pelos primeiros grandes encenadores. A sua fronteira de demarcação final ainda é um tanto móvel, pois deve ser encerrada no momento propriamente de início da etapa seguinte, a última etapa, aquela em que estamos, classificada como Era da História do Tempo Presente.

A convenção, em História, faz da História do Tempo Presente um recorte cronológico movediço, que abrange uma geração (algo como sessenta anos) de hoje para trás para propor o enfoque no estudo de nossos dias. Isto quer dizer que, no interior deste último período, o historiador pode pesquisar acontecimentos teatrais a que pôde assistir ou que consegue *ver* em registros variados, em situação de presença – vídeos, filmes, transmissões de TV ou virtuais. Há, no entanto, ao final do período, um universo de fatos mais distantes, aos quais não pôde ter acesso, uma faixa que devemos qualificar como História do Tempo Presente Remoto.

Em minha experiência de pesquisa, pude trabalhar com as três últimas situações indicadas, que podem ser localizadas sem problemas no caso brasileiro. Vale a pena alinhavar algo desta experiência, para o debate acadêmico e o registro histórico. É preciso, contudo, destacar uma condição definidora do campo do historiador de teatro que é decisiva: o objeto de pesquisa – neste caso, o teatro – é sempre evanescente, não se eterniza como possibilidade de contemplação. Nem é passível de reconstituição. Está para sempre perdido no seu presente-passado. Para Christopher Balme (1997), trata-se de uma história documental, jamais monumental.

Na verdade, a materialidade que o historiador busca é o olhar dos contemporâneos, os que puderam contemplar a obra de arte teatral, em uma relação triangular. Jamais poderemos arbitrar o que foi a apresentação de uma peça fora de nosso tempo, privilégio que podemos usufruir diante de uma escultura ou de um quadro. Além disso, o teatro é uma arte dialógica; ao lado de conteúdos inefáveis, transcendentais, eternos, ele necessita de condições de comunicação e de encantamento, uma sintonia imediata com o tempo em que acontece, o senso comum de sua época. Ou seja, trata-se de uma forma de comunicação específica de seu tempo, que precisa ser reconhecida enquanto tal; muito do que acontece em um palco só tem sentido imediato, não tem transparência para gerações futuras. Por vezes, o registro visual e sonoro deixa escapar esta identificação, pois não tem o calor e a intensidade da presença, não pode preservar a atmosfera que acontecia ali.

Assim, em relação ao trabalho de pesquisa na Era de Formulação do Moderno, o universo de fontes disponível para o historiador, em potência, abrange uma extensa materialidade. A rigor, retirados os registros em filmes, vídeos e suportes digitais, correntes em nosso país apenas a partir dos anos 1970, o continente de fontes é o mesmo também para a Era da História do Tempo Presente.

O elenco é bastante extenso; se no século XIX a pesquisa se mantém restrita em especial ao manuseio de documentação escrita e em boa parte manuscrita – e o tema da iconografia mereceria um extenso tratado para ser minimamente esclarecido –, no século XX as faces desta mesma documentação adquirem extrema variedade, em função da ampliação das artes de impressão e gráficas. Isto sem falar nas possibilidades da História Oral, o trabalho com depoimentos. Uma outra área preciosa é a da fotografia, nascida no século XIX, com uma história própria considerável, dadas as suas transformações técnicas, que permitiram diferentes formas de retrato: da pose ao instantâneo, do registro do ator ao flagrante da cena.

Vale a pena, então, diante da extensão dos objetos, seguir os contornos de um estudo de caso específico, um episódio de pesquisa. No caso, trata-se da pesquisa de longa duração, desenvolvida entre 1992

Maria Della Costa em capas de revistas.
Montagem: Marcelo Del Cima

e 1998, que permitiu a redação do meu livro indicado. Apesar dos diferentes arquivos consultados, a *instituição de referência* – e esta é a nomenclatura técnica que uso para qualificar sempre o centro de documentação mais importante no desenvolvimento de uma pesquisa – foi o Cedoc da Funarte, no Rio de Janeiro.

Esta foi uma pesquisa heroica, digamos, pois teve uma dimensão desbravadora em todos os sentidos, desde o objeto, que permanecia sem qualquer estudo, até a metodologia, pensada e repensada ao longo do trabalho, passando pela documentação, praticamente virgem. O objeto central de pesquisa foi o acervo da Companhia Maria Della Costa (Teatro Popular de Arte), depositado na Funarte, em sua quase totalidade doado à Instituição pelos organizadores da companhia, a atriz Maria Della Costa e o ator Sandro Polônio.

Em primeiro lugar, é importante situar o material trabalhado: quando afirmamos que ele era virgem, é porque se tratava quase que inteiramente de material não tratado, de natureza muito variada, em grande parte ainda empacotado como doação. O conjunto foi examinado com o objetivo de reunir as fontes mais significativas para a redação da história da Companhia (1948-1974). Mas o que se desejava não era uma história cronológica ou de eventos ou mesmo fundada na dramaturgia, mas, antes, uma *história da cena*, uma tentativa de desvendamento do *espetáculo* proposto pela empresa. Melhor dizendo: o que se buscou foi, em boa parte, a própria história primeira do conceito de *encenação* em nosso país.

Na verdade, o núcleo responsável pelo aparecimento da Companhia Maria Della Costa, inicialmente denominado Teatro Popular de Arte, foi a continuação profissional imediata do grupo amador Os Comediantes que, em 1943, com a montagem de *Vestido de noiva*, sob a direção de Ziembinski, pela primeira vez teria exposto nos palcos nacionais exatamente o que se convencionaria chamar de *encenação*, a forma definidora do teatro moderno, cuja história, no palco europeu, remonta à virada do século XIX para o século XX.

A análise do material selecionado conduziu a indagações permanentes sobre os métodos e técnicas de análise, bem como a um questionamento considerável sobre as possibilidades de se escrever uma *história do espetáculo* – mais exatamente uma história do que é radicalmente episódico, efêmero, a condição mesma da cena de teatro,

Guaíra
JANEIRO DE 1950

A CENA

FATOS e FOTOS
GENTE
MARIA DELLA COSTA
MARIO AUTUORI
CARLOS ALBERTO
WOODY ALLEN

RIO MAGAZINE

Revista do
GLOBO
GUERRA AOS ENTORPECENTES
Cr$ 3,00

SUEDBRASILIANISCHES
ILLUSTRIERTES MONATSBLATT
Revista Sulbrasileira Ilustrada
A estrela do filme Caminhos do Sul

Revista do Globo
O CANTO DA COTOVIA
MARIA
DELLA
COSTA
interpretando
JOANA D'ARC

UNIDADE
O MENSARIO DAS GRANDES REPORTAGENS
CR$ 3,00
Neste numero:
OS MISTERIOS DA LAPA
A HISTORIA DA POLICIA ESPECIAL
DEVEM SER FECHADAS AS NOSSAS FABRICAS?
CINEMA – RADIO – LITERATURA – TEATRO
ANO X — RIO DE JANEIRO, MAIO DE 1947 — Nº 98

eva
NOVEMBRO 1959

pra você

cocktail

Revista do GLOBO

Cinelândia

Manchete

prisma
uma peça de garcia lorca

Revista do Globo

da qual persistem, quando muito, resíduos fragmentários, sumários, com muita frequência conflitantes ou desconexos. Empreitada árdua, posto que de ruptura com a tradição ocidental, que se quer *teatro de papel*, em outro sentido. Desde o classicismo francês, certa leitura da *Poética*, de Aristóteles, levou a História do Teatro – e por tabela muito da teoria e da crítica do teatro – a se postular como História da Dramaturgia, caminho que a pesquisa não pretendia seguir.

A proposta, até então, não atraía os historiadores do teatro brasileiro, mais inclinados a estudos em que a dramaturgia exercia a função diretora das análises. Ao longo do estudo dedicado à Companhia Maria Della Costa, a preocupação constante foi a de tentar instaurar outra dinâmica: em meio a pilhas e pilhas de papel, inclusive de peças de teatro, o que se procurou recuperar foi a realidade da cena, buscando-se outra valoração, uma espécie de *inversão*; neste contexto, o material dos jornais se tornou precioso, essencial, exigindo toda uma reflexão sobre a sua condição e sentido.

Assim, para explicitar o procedimento, é interessante expor, ainda que de forma resumida, o elenco das fontes consideradas como material decisivo para o trabalho desenvolvido. Elas foram lidas em sintonia fina com o material dos jornais, pois as críticas e reportagens traziam indicativos importantes sobre o que acontecia em cena nos espetáculos, surgiam como *o* olhar contemporâneo.

É verdade que a pesquisa é uma leitura, uma visão, não uma reconstituição – até por uma razão simples, um primeiro problema: a multiplicidade e a incompletude das fontes era a tônica do material encontrado no acervo Maria Della Costa/Sandro Polônio. Diante de tal limite, foi preciso não só analisar, mas, antes, hierarquizar: as escolhas foram realizadas priorizando as fontes primárias reveladoras da dinâmica da cena. Para cada montagem, havia um leque variado de opções, nem sempre da mesma natureza e qualidade, o que levou a flutuações consideráveis no fluxo de informação.

Dentre a enorme variedade de fontes, destaco, segundo a classificação elaborada para o estudo:

- programas das peças da Companhia Maria Della Costa, que forneciam elementos de cronologia do grupo, manifestos, objetivos, fichas técnicas;

- programas variados de peças de outras companhias, nacionais e estrangeiras; por exemplo, programas do Berliner Ensemble;
- programas de peças de outras companhias encenadas no Teatro Maria Della Costa, indicativos da política de ocupação do teatro e de uma possível identidade para o espaço;
- originais de peças variadas, algumas apresentadas pela companhia, mas a maioria de textos de autores que pretendiam ser encenados;
- recortes de jornais variados, com reportagens sobre a vida pessoal de Maria Della Costa, assuntos da companhia, matérias de lançamento e manutenção das peças, críticas;
- borderôs, certificados de censura, alvarás, contratos de representação (coleção muito reduzida);
- matrizes de clichês de divulgação das peças e *filipetas*, atestados da importância atribuída pela companhia à propaganda;
- correspondência pessoal: convites, cartas, bilhetes;
- fotos de peças e de atores, que traduzem razoavelmente uma história visual e da visualidade; alguns poucos materiais iconográficos – *croquis*, desenhos, estudos de figurinos, plantas baixas e projetos de cenografia;
- partituras de músicas variadas, incluindo a partitura editada da música de *Gimba, presidente dos valentes*.

No conjunto do material acima descrito, algumas fontes primárias foram consideradas como de extrema importância para traçar a história da companhia a partir de uma visão da trajetória da atriz e da história do espetáculo, da cena. Foram verdadeiros "achados" de arquivo, pois não havia qualquer indício de sua existência e são, em regra, documentos difíceis de encontrar, pois no Brasil em geral não são preservados.

Este pequeno núcleo, no interior de tão vasto acervo, foi constituído pelos seguintes materiais: uma caderneta de estudos teatrais escolares de Maria Della Costa; um "Livro de Ouro", de 1948, de apoio aos artistas da companhia por ocasião da chamada Greve do Teatro Fênix, registro da força do grupo nascente; esquema de implantação de cena da peça e roteiro de sonoplastia, manuscritos, de *A prostituta respeitosa*, de Jean-Paul Sartre, direção de Itália Fausta, apresentada no Rio de Janeiro, em 1949; requintado plano de luz de *A rosa tatuada*, de Tennessee Williams, dirigida por Flamínio Bollini Cerri, em 1956, escrito e colorido à mão; o roteiro de contrarregragem da peça *Society em baby doll*, de Henrique Pongetti, direção de Milton Moraes, encenada em Portugal em 1959; e, afinal, os chamados *Cadernos da fã*.

Insistirei apenas na abordagem de duas destas fontes; elas norteiam em boa parte o percurso de interpretação concebido para a pesquisa, pois oferecem subsídios particularmente interessantes. Traduzem a trajetória peculiar – e fulgurante – da atriz Maria Della Costa, de um quase anonimato no mundo do teatro à condição de estrela absoluta.

O primeiro desses "achados" é a caderneta de Maria Della Costa do Conservatório Nacional, em Lisboa, onde ela foi estudar teatro no ano letivo de 1945/1946. O documento traz, à caneta, o ano letivo e as anotações de abertura e encerramento de matrícula de um curso que não foi concluído. A atriz, então recém-casada com Fernando de Barros, seu primeiro marido, teria ido a Portugal estudar, pois já estava "cansada de ser bonita", frase divulgada pelos jornais da época, presentes no acervo em alguns recortes, mas sempre repudiada por Maria Della Costa; queria aprimorar-se como atriz, dizia ela. Portanto, a caderneta instaurou uma relação de atrito e confronto com o material habitual que a imprensa publicava a seu respeito naquele momento, sempre voltado para o registro da beleza da jovem, em um tom de superficialidade, já que ela era manequim e modelo fotográfico, ainda não tinha qualquer importância ou destaque como personalidade do meio teatral.

É curioso observar que a atriz escolheu, para a sua formação, justamente um país em que se praticava um teatro repudiado pelas novas gerações, *modernas*, escolha ditada, portanto, por condições pessoais – o seu marido era português – e não por qualquer definição artística. Era iniciado ali um intercâmbio que seria mantido ao longo de sua carreira, mesmo com grandes confrontos e atritos de ordem artística e política, já que a atriz, retornando ao Brasil ainda estudante, aderiu ao movimento *moderno* e, mais tarde, se identificou com as forças políticas mais progressistas, à esquerda, condição que irá assegurar uma dupla ordem de embates quando de suas viagens a Portugal – aqueles derivados das propostas *modernas* e os vinculados à estreiteza política do salazarismo. De certa forma, e os recortes de jornal existentes no acervo não deixam dúvidas, a Companhia foi para Portugal, no final dos anos 1950, para levar um teatro antagônico ao que a atriz encontrara em suas aulas.

O outro material decisivo do acervo, exemplar raro de se encontrar, pois se trata de um tipo de pequeno arquivo privado não canônico, sentimental, é integrado por uma série de cinco cadernos de recortes de jornal e de papéis de efeitos decorativos recolhidos e organizados por uma fã de Maria Della Costa, Benedicta Moreira Santos, a "Dicta" de Jacareí, São Paulo. Os primeiros quatro cadernos são recheados de fotografias autografadas por Maria Della Costa, com as páginas ornamentadas por decalques floridos, fragmentos de jornais e revistas, estes últimos recortados e dispostos de forma decorativa, muitas vezes coloridos com lápis de cor.

É interessante notar que a grande maioria desses recortes é constituída por *clippings* de pequenas notícias de coluna social, um tipo de informação diferente da existente nas matérias encontradas no acervo, coletadas por Sandro Polônio e Maria Della Costa. A série foi batizada, na pesquisa, como *Cadernos da fã*, para efeitos de organização do material recolhido. O conjunto estava no acervo porque foi doado para a atriz pela fã, como gesto especial de homenagem à artista.

Os dois primeiros cadernos, de 1963, concentram material sobre a peça *Pindura saia*, de Graça Mello, muito embora o enfoque seja sempre a vida de Maria Della Costa – Maria, atriz; Maria, mulher; Maria, esposa. Benedicta, inclusive, faz dedicatórias e chama Maria Della Costa pelo apelido "carinhoso" de Malicó. O segundo caderno tem uma página com uma *guimba* de cigarro com marca de batom colada, que teria sido recolhido do chão pela fã, representando o que seria um dos amores da atriz, o cigarro (além de Sandro Polônio, as rosas e Santa Terezinha). Outra curiosidade é o recorte de uma rápida entrevista de jornal feita com Maria Della Costa, com perguntas do tipo "perfil do consumidor", não encontrada em nenhum outro local.

O terceiro caderno, de 1964, tem reportagens sobre *Depois da queda*, de Arthur Miller, representada naquele mesmo ano, sob direção de Flávio Rangel, e uma sequência de matérias sobre o Dops (Departamento de Ordem Política e Social), quando Sandro Polônio e Maria Della Costa foram obrigados a prestar depoimento no órgão do governo, depois do golpe militar. Essa série sobre o Dops é de grande

Cena de *A Rainha*.
Coleção Marcelo Del Cima

valor, pois são raras, também, as informações a este respeito no acervo da companhia. Ainda que o casal de artistas não integrasse o Partido Comunista, ou outra organização qualquer de enfrentamento político, os seus vínculos afetivos e sociais geraram suspeitas, e teria sido arriscado colecionar, em casa ou na empresa, as matérias publicadas a esse respeito.

Vale destacar a espiral de *glamour* que começava a envolver a atriz. A partir do final dos anos 1950, em vertiginosa escala ascendente desde 1954 (data em que o casal inaugurou em São Paulo o teatro com o seu nome), ela se tornara uma estrela nacional, situação evidente nas fotos em que aparece de casaco de pele, com a curiosa legenda de que precisou posar ao lado dos policiais para que pudessem tirar fotos, inusitadas, de recordação da artista. Ela estava ali para atender a uma solicitação policial, pois era suspeita de subversão, e terminou roubando a cena.

O quarto caderno, em tamanho ofício, é do verão de 1968, e contém uma coletânea de fotos diversas de Maria Della Costa, provenientes de jornais e revistas, além de um poema da Dicta, falando um pouco sobre cada peça que viu com sua atriz predileta. A poesia, aliás, está presente em todos os cadernos da Dicta, sempre em forma de dedicatória.

Existe também um pequeno caderno de 40 folhas, preenchidas com um grande poema sobre a trajetória da atriz como se fosse uma saga épica, desde a sua infância pobre no Sul, passando pelo Cassino de Copacabana, seguindo para o Conservatório Nacional em Lisboa, até o encontro com Sandro Polônio e a fundação do Teatro Popular de Arte, e posteriormente a inauguração do Teatro Maria Della Costa. Tudo é descrito de forma muito simplória e com uma visão romântica ao extremo. No entanto, o poema contém informações precisas e dados de difícil acesso, como, por exemplo, nomes de professores de Maria Della Costa no Conservatório em Portugal: M. Matos, Alves da Cunha, Gino Saviotti.

A questão da admiração pelos fãs é bastante interessante, pois demonstra o fascínio que o teatro exercia sobre o público, semelhante ao efeito da televisão hoje em dia. Revela como a empatia da atriz e o trabalho de sua Companhia tocavam os espectadores, provocando manifestações diversas de ordem sentimental, como os *Cadernos da fã*.

Entre estes dois documentos, a Caderneta do Conservatório Nacional em Lisboa e os *Cadernos da fã*, percebe-se um abismo: o percurso indicado vai do anonimato à alquimia da fama – a jovem preocupada com a própria falta de conhecimento se tornou a atriz aclamada, uma estrela teatral de primeira grandeza. No entanto, a abordagem só adquiriu espessura através da análise dos *Cadernos da fã*, por diferentes razões.

Em primeiro lugar, a coleção de recortes de jornais do acervo tem um perfil, como se observou, bem mais voltado para as rotinas da empresa e para os registros das temporadas. São recortes, digamos, sérios. Isto significa uma ausência ou uma carência enorme das notas e das pequenas matérias laudatórias, a princípio inexpressivas, triviais, das *fofocas*, que erigem e identificam a condição de celebridade ou mito. E, de resto, é preciso sempre perceber a existência de uma hierarquia no material da imprensa. Este colunismo epidérmico não é um material valorizado, a longo prazo, nem mesmo pelos artistas (e muitas vezes as notas são irreais, foram *plantadas* para ocupar espaço na mídia, compradas), o que faz com que não exista uma política deliberada de coletar e colecionar tais notinhas.

Elas retratam a futilidade, a superficialidade do momento – mostram os valores de ostentação, consumo e sociabilidade da época, materializam com acidez a parte mais febril da atmosfera do espaço público. Quer dizer, os *Cadernos da fã* constituem fonte preciosa para desenhar a imagem pública de Maria Della Costa, traçar a sua identidade de estrela, no momento de sua aclamação.

Este fato foi de extrema importância para a sobrevivência da empresa em um momento em que todos os conjuntos contemporâneos entraram em crise, para logo desaparecer. A consagração da atriz, longa e cuidadosamente arquitetada por Sandro Polônio, sustentáculo da empresa como uma espécie de cariátide propícia para investir contra os ventos do mercado, nem sempre aparece muito nítida nas matérias dos principais jornais em circulação, a imprensa dita séria.

Destaque-se que a Companhia, aliás, não tinha sempre espaço fácil nos principais veículos, ela não era parte nobre da cultura da cidade de São Paulo. Havia uma visão do empreendimento como comercial e apelativo; assim, havia certa ressalva quanto à Companhia, em favor da celebração do Teatro Brasileiro de Comédia, como se no TBC não existisse comércio.

O pensamento da pesquisa foi, portanto, um percurso sinuoso por entre um vasto universo de fontes, mas mantendo o foco em certas diretrizes – o mais importante era tentar explicar que tipo de palco o conjunto fazia, qual era a sua linguagem, quais os seus conceitos e cálculos, como era a sua sintonia com o jogo social e que resposta recebia dos meios de comunicação, em especial dos jornais. Tratava-se de uma visão ampla, aberta, até porque o acervo contava com imensas lacunas, alguns momentos e trabalhos que não tinham qualquer documentação. Em algumas montagens, não havia, por exemplo, material de imprensa bastante para que se tentasse traçar com nitidez o contorno da proposta e a sua repercussão social.

É fundamental observar que, neste trabalho, não existiu qualquer esforço ou interesse em pensar as hipóteses explicativas das exclusões e ausências existentes na coleção de documentos reunida por Maria Della Costa/Sandro Polônio. Tudo indica que a empreitada seria arriscada, fadada ao fracasso, pois os acervos documentais da área de artes têm enfrentado muitos azares institucionais, exteriores ao dinamismo de sua constituição, gerando-se aí muitas de suas lacunas. Para o pesquisador, este é o problema de maior escala.

Nos diferentes arquivos e centros de documentação, as práticas de tratamento dos acervos ainda estão distantes do ideal do pesquisador. No caso da Funarte, grandes e importantes acervos doados à Instituição foram tratados sob os critérios de uma arquivística de raiz júridico-político-administrativa, sem a implantação de um conceito específico, sem a adoção da noção de *Fundo documental*, preciosa para acervos de arte. Esta visão levou ao desmembramento dos conjuntos, segmentados, sem registro da dispersão. Dentro desta política, livros, papéis impressos, fotos, desenhos, textos mimeografados ou datilografados seguiram para diferentes setores, sem remissivas. Assim, uma parte do acervo estudado já tinha sido objeto de atenção dos funcionários e fora reduzido através do descarte de materiais considerados irrelevantes.

Um outro problema é a inexistência de hemerotecas e de levantamentos/estudos da história do jornalismo. Em tais condições, os recortes de jornal não recebem um tratamento específico e se tornam simples manchas de texto no papel, com valor interno, mas sem a hipótese de crítica externa. A situação decorre em boa parte de um fetichismo exacerbado que cerca a imprensa e faz com que muitos artistas recolham críticas e textos recortando-os "por dentro", junto à mancha, sem incorporar data, autoria, veículo, dados precisos de identificação do texto. E tais recortes são incorporados aos dossiês ou pastas nominais ou das peças em uma classificação apenas temática, sem foco na qualidade do suporte.

Percebe-se então o grande risco que cerca o pesquisador nestes arquivos – há uma tensão forte, eletrizante, que ameaça transformar a pesquisa em uma situação de múltiplas perdas. O quadro indica que é preciso aprofundar o diálogo entre as instituições de pesquisa, arquivistas, bibliotecários, de um lado, e pesquisadores e historiadores de outro – para que as condições de trabalho façam com que se possa divulgar ainda mais os tesouros existentes em nossos arquivos, para que se ateste a dimensão das obras de arte que já foram construídas neste país. Para que as folhas dos documentos, ao vento, divulguem de maneira efetiva as nossas artes. Para que não sejam folhas perdidas em rajadas de descaso, seguindo de forma dolorosa o ímpeto da crença cotidiana, aquela que reza que o belo destino final para os jornais é o lixo.

BIBLIOGRAFIA

Argan, Giulio Carlo. A arte e a história. In: ____. *Arte e crítica de arte*. Lisboa: Estampa, 1988. p.79-89.

Balme, Christopher B. Interpreting the pictorial record: theatre iconography and the referential dilemma. *Theatre Research International*, Oxford, v.22, n.3, p.190-201, 1997.

Brandão, Tania. *Uma empresa e seus segredos:* Companhia Maria Della Costa (1948-1974). São Paulo: Perspectiva, 2008.

____. Ora, direis ouvir estrelas: historiografia e história do teatro brasileiro. *Latin American Theatre Review*, Lawrence, v.36, n.1, p.67-92, 2002. Fall.

Ferreira, Marieta Moraes. *Entre-vistas: abordagens e usos da história oral*. Rio de Janeiro: Fundação Getúlio Vargas, 1994.

Magaldi, Sábato. *Panorama do teatro brasileiro*. Rio de Janeiro: snt/Funarte, 1962.

Pavis, Patrice. *Dictionnaire du théâtre*. Paris: Dunod, 1996.

Peschanski, Denis; Pollak, Michael; Rousso, Henry. Le temps présent, une démarche historienne à l'épreuve des sciences sociales. In: ____. *Histoire politique et sciences sociales*. Paris: Éditions Complexe, 1991. p.13-36.

Prado, Décio de Almeida. *O teatro brasileiro moderno*. São Paulo: Edusp; Perspectiva, 1988.

Santos, Benedicta Moreira. *Cadernos da fã*. [Cinco cadernos com recortes de jornais e poemas manuscritos; organizados por Dicta, de Jacareí, São Paulo, entre 1963 e 1968]. Rio de Janeiro: Acervo Maria Della Costa/Sandro Polônio, Serviço de Documentação da Funarte.

Villegas, Juan. Maria Asunción Requena: éxito e historia del teatro. *Latin American Theatre Review*, Lawrence, v.28, n.2, p.19-38, 1995. Spring.

Crimes, tragédias e imagens sensacionais – *Faits divers* ilustrados em revistas brasileiras (1870-1930)

VALÉRIA GUIMARÃES*

PERIÓDICOS E ENTRETENIMENTO

Na passagem do século XIX para o século XX, o conteúdo dos jornais e revistas comerciais de grande circulação no Brasil revelava crescente espaço ao entretenimento. Periódicos como *Revista Illustrada*, *Fon-Fon*, *Careta* e *A Cigarra* traziam anúncios publicitários que iam de livros, folhinhas, calendários e almanaques aos espetáculos teatrais e cinematográficos, além de inovações tecnológicas. Novas máquinas ligadas à diversão eram cada vez mais comuns: estereoscópios, câmeras fotográficas, gramofones, fonógrafos etc. As revistas ilustradas, especialmente, faziam questão de ostentar a "modernidade" do Rio de Janeiro e de São Paulo, as maiores cidades do país, utilizando todos os recursos tecnológicos disponíveis para levar ao leitor imagens tão sofisticadas quanto eram os aparelhos que as captavam[1].

Parte desta representação era forjada nos modelos estrangeiros, principalmente europeus, uma forma de a elite se legitimar como camada "superior" em relação à população mestiça e também de formular planos para inserir a nação no caminho do "progresso".

* Valéria Guimarães é doutora em história social pela USP e pesquisadora do Centro de Estudos da Oralidade da PUC-SP e do *Centre d'Histoire Culturelle des Sociétés Contemporaines* (CHCSC), da Université de Versailles Saint-Quentin-en-Yvelines.

1. PADILHA, Márcia. *A cidade como espetáculo*: publicidade e vida urbana na São Paulo nos anos 20. São Paulo: Annablume, 2001, p.14.

O que vemos nos periódicos da época pode ser entendido como projeção de uma elite que procurava se autorrepresentar como moderna[2] e que encontrava neste aparato tecnológico e nas referências que vinham de seu principal modelo de civilização – Paris, mas também Londres e Nova Iorque – formas de expressão de seu poder econômico e cultural. Como consequência, a representação do pobre – personagem constante na nascente imprensa sensacionalista – se dá como encarnação da degeneração ou do bizarro, isto é, como antítese do que seria a "civilização", ponto de vista orientado pelas lentes cientificistas que davam aos textos desses periódicos, com sua linguagem jornalística, o verniz de seriedade. Em oposição ao mundo dos *faits divers*, com seus desastres, crimes e aberrações, o progresso tecnológico era saudado em jornais e revistas ilustradas.

A produção periódica se viu cada vez mais farta e diversificada em princípios do século XX, sendo parte essencial do ativo mercado editorial formado pelas duas principais cidades da recente República. Na paisagem de São Paulo e Rio de Janeiro, os efeitos mais evidentes do desenvolvimento eram as feições urbanas, em constante mutação: largas avenidas haussmanianas, praças ajardinadas e passeios públicos abertos ao *footing* e à *flânerie*[3], devidamente iluminados pela eletricidade que a tudo conferia ares modernos. Tão concretos quanto as reformas urbanas eram os melhoramentos dos meios de transporte, como trens, automóveis e bondes elétricos que, ao encurtarem as distâncias, aceleravam o tempo e lançavam o cidadão comum no ritmo pulsante da modernidade. Parte desse processo, a crescente atividade de impressão também acompanhava o clima efervescente do período, traduzindo o "espírito" que animava a cidade nos novos meios de comunicação, lançando notícias frescas mais de uma vez por dia à população.

2. MARTINS, Ana Luiza. *Revistas em revista*: imprensa e práticas culturais em tempos de República; São Paulo, 1890-1922. 1. reimpr. São Paulo: Edusp, 2008.
3. *Footing* e *flânerie* são termos estrangeiros, em inglês e francês, respectivamente, que designam o passeio em lugares públicos com a intenção de espairecer, mas também de olhar os outros, exibir-se na última moda, admirar as vitrines etc. Eram frequentemente utilizados no Brasil, no início do século XX, por aqueles que tentavam se mostrar atualizados com as novas tendências vindas do exterior. A figura do *flâneur* ficou famosa por obra do poeta francês Baudelaire, que o descreve como aquele que perambula sem rumo pela cidade moderna, anônimo na multidão. Nesse sentido, a ideia de *flânerie* está intrinsecamente ligada àquela da modernidade.

Assim, na virada para o século xx, os *faits divers* passaram a ocupar cada vez mais espaço em revistas ilustradas.

Provindo de uma remota tradição narrativa, com fortes raízes na oralidade e estreita relação com a imaginação e a ficção, o formato dos *faits divers* é encontrado em diversas culturas. Podemos definir *fait divers*, de forma geral, como um relato sensacionalista de eventos do cotidiano. A expressão, utilizada no original em francês, é comum no jargão do jornalismo e embute mais que simplesmente a ideia de "fatos diversos" noticiados em primeira mão e com a função de informar. Torna-se gênero jornalístico forte já no início do século xix e difunde, pela imprensa, sua fórmula característica de mistura entre realidade e invenção, informação e emoção.

A fórmula foi difundida pelo *Le Petit Journal*, jornal francês fundado em 1863, popular no Segundo Império, mas o *fait divers* teve como predecessores os *canards*[4], textos publicados em pequenos folhetos, e as *nouvelles*, histórias contadas em praça pública por um *nouvelliste*. A própria expressão tem significado ambíguo, podendo ser aplicada no sentido de notícia, novidade, romance, conto ou anedota. A transmissão oral tem um papel central na constituição da narrativa de *fait divers*, uma espécie de criação coletiva que compartilha matrizes culturais com variados gêneros populares, entre eles a literatura de *colportage*[5].

A imprensa norte-americana conheceu fenômeno semelhante, com os *space fillers*[6] e congêneres, presentes na gestação do chamado jornalismo amarelo (*yellow journalism*), em títulos como *New York World* (1862) e *New York Journal* (fundado em 1837, mas remodelado em 1895 por Randolph Hearst, quando se tornou mais sensacionalista). Ao lado da *presse à sensation* francesa (imprensa sensacionalista ou marrom), o *yellow journalism* remodelou o jornalismo moderno e cravou no seio da informação as referências para o novo século.

No Brasil, onde se denomina o *yellow journalism* pela expressão "imprensa marrom", o estilo conhece difusão pela mesma época,

4. Em francês, "pato". Metaforicamente, designava "falsa notícia".
5. Pequenos folhetos impressos originados no século xvi, pertencentes à tradicional literatura popular francesa. Podemos afirmar que encontra paralelo em diversos países, correspondendo, em português, à literatura de cordel. Ver Hallewell, Laurence. *O Livro no Brasil:* sua história. 2. ed. São Paulo: Edusp, 2005, p. 59.
6. Pequenos textos redigidos com o fim de preencher os espaços vazios do jornal.

também chamada a *Era de Ouro da Imprensa*[7]. A década de oitenta do século XIX pode ser tomada como um marco, quando veículos cariocas como a *Gazeta de Notícias* e o pequeno jornal *O Repórter* começam a publicar *faits divers*. Todavia, é apenas nos primeiros decênios do século XX que as seções se multiplicam por vários jornais da grande imprensa.

Interessante é que essas transferências culturais entre a imprensa nacional e a estrangeira tenham resultado em particularidades na apropriação pela imprensa nacional. Vistos como repugnantes exemplos de degradação da linguagem e da função pedagógica da escrita tanto pela *intelligentsia* americana como europeia, os *faits divers* tiveram no Brasil duas recepções distintas: uma *negativa*, que corroborava as críticas ao seu papel supostamente nocivo na formação dos novos leitores, e outra *positiva*, que associava este tipo de publicação com o que havia de mais moderno na imprensa internacional. Nesta concepção, era *chic* publicar *faits divers*.

FORMAÇÃO DA SOCIEDADE MIDIÁTICA

Destacamos, no início deste texto, como o mundo do entretenimento conhecia ampla expansão nestes anos e como os *faits divers* faziam parte deste processo. O *fait divers*, ou o sensacionalismo em geral, obviamente não é apenas produto cultural do entretenimento. Por trás da engrenagem do espetáculo, há os interesses dos órgãos de informação, que se escondem sob a capa de prestação de serviços, e dos grandes grupos políticos, que regem seu funcionamento empresarial, usando de seu intenso respaldo para impor seus próprios projetos de hegemonia[8]. Porém, o que gostaríamos de destacar, é justamente a ligação entre a imprensa que publica *faits divers* e a formação da sociedade midiática, seu intenso diálogo com estas novas formas de diversão.

Ao mesmo tempo em que têm a função primeva de informar, os *faits divers* se encontram na fronteira dos textos de evasão, como o folhetim, os livros populares ou o teatro de *vaudeville*. Inserem-se na lógica do mundo do espetáculo, na verdadeira obsessão pelo lazer que

7. CHARLE, Christophe. *Le siècle de la presse* (1830-1939). Paris: Seuil, 2004, p.136; SMYTHE, Ted Curtis. *The gilded age press, 1865-1900*. Westport: Praeger Publishers, 2003, preface.
8. CAMPBELL, W. Joseph. *Yellow journalism*: puncturing the myths, defining the legacies. Westport: Praeger Publishers, 2001.

floresce na modernidade, na fixação pelo real pela narrativa detalhista, pela reconstrução da cena em seus menores detalhes[9]. O processo que molda o imaginário dessa época chega ao seu auge com a fotografia e o cinema, não por acaso ambos em completa sintonia com temas e linguagem dos *faits divers*.

Os *faits divers* não são os fatos, mas as representações dos fatos. Isso não lhes diminui a concretude, já que as representações produzidas pela imaginação não são abstratas, agindo na sociedade, na sua autocompreensão e na sedimentação de seus valores[10]. Aquelas que aparecem nos *faits divers* formam, então, um conjunto coerente e integrado, embora complexo e flutuante, relacionado a um novo contexto, em que os produtos culturais ganham outra dimensão, uma vez que difundidos massivamente. Fazendo a ponte entre a cultura popular tradicional e a nova realidade técnica, os jornais, as revistas e, em especial, as seções de *faits divers*, estão no centro da difusão deste *ethos* do espetáculo e da celebridade. Ao mesmo tempo, são um bom parâmetro para medir os valores, os desejos e os medos da sociedade.

É possível identificar nos variados tipos de *faits divers* encontrados na pesquisa em jornais e revistas da época indícios de dominação e preconceito de classe (no discurso moralizante e politicamente manipulador), mas o que nos interessa mais de perto é a difusão dos valores da "modernidade" e da "civilização".

Atuando sobre o aspecto caótico que toma essa nova organização social, o jornal e a revista visam dar coerência ao conjunto de informações desconexas. E, neles, os *faits divers* vêm associados tanto ao entretenimento, às variedades ligeiras, quanto, por outro lado, ao componente desviante, que exerce, desse modo, uma função restauradora da ordem: a figura normativa das autoridades (policiais, médicas ou científicas) é o contraponto moral ao comportamento criminoso ou imoral.

No seu afã de tudo registrar, o *fait divers* visa a tornar acessível o espetáculo do horror, do prodígio, do crime ou da vertigem do novo

9. Singer, Ben. Modernidade, hiperestímulo e o início do sensacionalismo popular. In: Charney, Leo; Schwartz, Vanessa R. (orgs.). *O cinema e a invenção da vida moderna*. 2.ed. São Paulo: Cosac & Naify, 2010, p.96.
10. Soulet, Jean-François. *L'histoire immédiate*: historiographie, sources et méthodes. Paris: Armand Colin, 2009, p.111-2.

cotidiano. É uma leitura que quer a todos atingir, prendendo a atenção e, se for necessário, antes divertir que informar. A cultura e a leitura dos *faits divers* são populares, no sentido de que são voltadas para um público amplo, para o maior número possível de leitores.

FAITS DIVERS EM REVISTAS: REALISMO EM IMAGENS

Como lugar da observação social, a imprensa periódica também oferecia ao cidadão da época uma espécie de *flânerie* através das imagens que colocava em circulação. O passeio sem rumo pela cidade estava então disponível através nas páginas dos jornais ou das revistas, em textos detalhistas, em ilustrações ou em fotografias, satisfazendo a ânsia de ver, que tomou conta desta sociedade fascinada pelo realismo[11].

Havia, porém, uma diferença entre os *faits divers* publicados na grande imprensa e aqueles que saíam nas revistas ilustradas. Nos jornais, os textos eram prolixos, as imagens eram raras, e o tom é a informação do dia a dia. Nas revistas, estas notas cotidianas eram cobertas de certa aura científica, como a dar sofisticação ao que havia de banal e vulgar na vida comum. Além disso, ao oferecer um resumo dos acontecimentos da semana, a revista se distinguia do jornal em abordar a notícia de maneira sintética. O preço, a linguagem, a qualidade do papel, o maior uso de ilustrações e de fotografias eram outras das características das revistas ilustradas que as tornavam um produto cultural com suas especificidades em relação às folhas diárias.

Entre os periódicos precursores na publicação de *faits divers* no Brasil, estavam as revistas ilustradas do século XIX, nas quais era também produzida a melhor sátira política. Em algumas delas, os temas do *fait divers* ganharam espaço antes que o jornal os acolhesse em definitivo. Vários eventos da cidade foram registrados em suas imagens, com destaque para os problemas urbanos, via comum de crítica às autoridades.

11. SCHWARTZ, Vanessa R. O espectador cinematográfico antes do aparato do cinema: o gosto do público pela realidade na Paris fim-de-século. In: CHARNEY, Leo; SCHWARTZ, Vanessa R. (orgs.). *O cinema e a invenção da vida moderna*. 2.ed. São Paulo: Cosac & Naify, 2010, p.337.

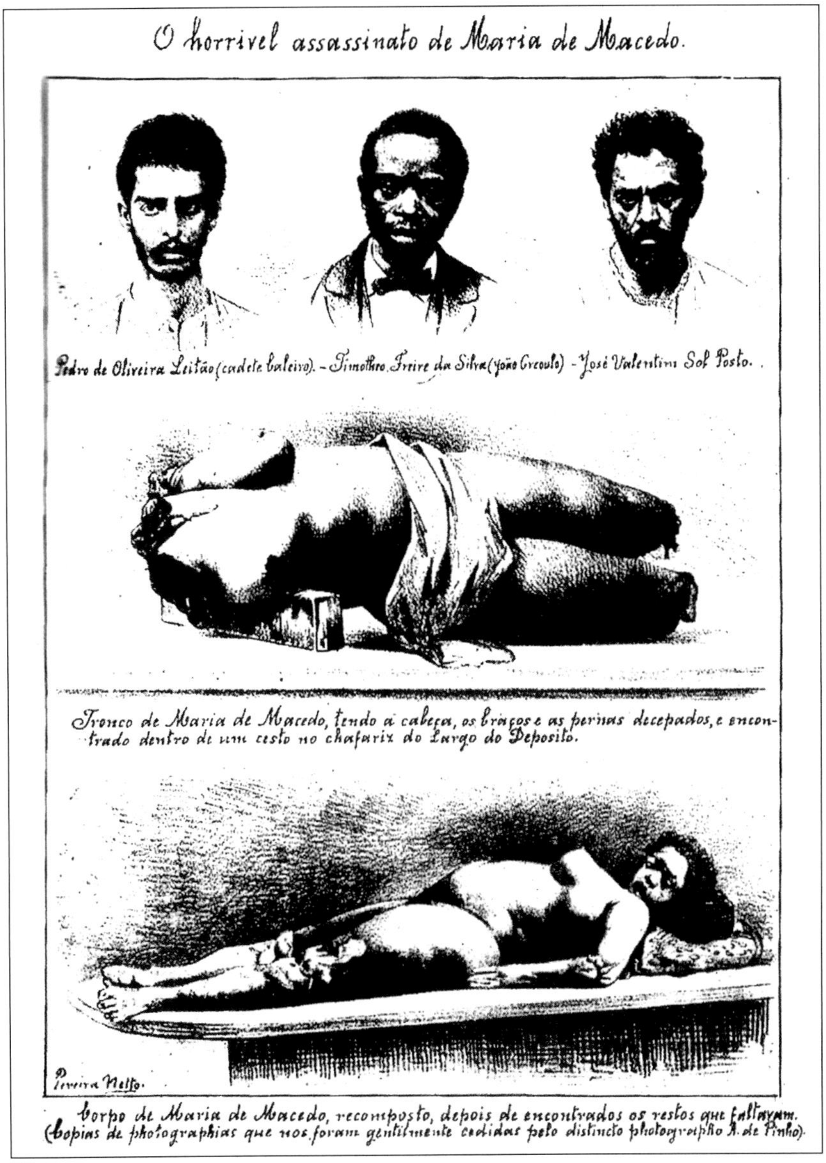

O horrível assassinato de Maria de Macedo. O caso ficou meses nos jornais e aparece na *Revista Illustrada* em imagens chocantes (n. 650, out.1892).
Acervo BMA

Acontecimentos aparentemente sem importância para a coletividade ganham espaço crescente, como os crimes sensacionais. Foi o que ocorreu com o "caso Maria de Macedo"[12] que havia tido larga repercussão na imprensa comercial. Publicado durante meses no jornal

12. Entre os veículos que noticiaram o caso Maria de Macedo estão a *Revista Illustrada* (n. 650, out/1892). e a *Gazeta de Notícias* com o título *Singular Crime – Mulher Assassinada – Corpo Trucidado* (21/09/1892, p.1)

Gazeta de Notícias, tratava do crime perpetrado contra uma mulher cujo corpo mutilado fora achado na zona portuária do Rio de Janeiro sem qualquer suspeita de culpado. Os *faits divers* nos jornais exploraram o caso até o limite da paciência de um leitor exigente: Machado de Assis[13]. Não bastasse ter ficado durante meses nas páginas dos diários, a popularíssima *Revista Illustrada* deu também sua versão do caso e transformou a narrativa detalhista em imagens chocantes.

O editor da *Revista Illustrada* era o italiano Angelo Agostini, educado desde a infância em Paris, onde se formou desenhista. Na casa dos vinte anos, chegou ao Brasil acompanhando sua mãe, cantora lírica, e acabou não só aqui se radicando definitivamente, como participando em vários empreendimentos de imprensa. Não demora a brindar a pacata São Paulo imperial com os jornais ilustrados *Diabo Coxo* (1864-65) e *Cabrião* (1866-1867). Será em sua revista publicada no Rio de Janeiro, a *Revista Illustrada* (1876-1898), porém, que as caricaturas e histórias de cunho político se misturam, definitivamente, aos *faits divers*. De grande sucesso, chegando a uma tiragem de 4 mil exemplares, "índice até aí não alcançado por qualquer periódico ilustrado na América do Sul, regularmente distribuída em todas as províncias e nas principais cidades do interior, com assinaturas por toda parte"[14], era vendida a 500 réis o exemplar avulso (um jornal como a *Gazeta de Notícias* custava 40 réis) e podia ser assinada na Livraria Garnier, na rua do Ouvidor.

Lembrando o estilo de outras revistas em circulação, como a *Semana Illustrada*, a qual, por sua vez, se aproximava das atuais histórias em quadrinhos, a revista de Agostini tinha na imagem sua maior fonte de dramatização da notícia. O texto, normalmente prolixas legendas de sentido dúbio que sempre apelavam para o humor, distanciava-se daquele dos jornais, cuja preocupação estava mais em informar o leitor, ainda que fosse largamente usado o recurso da invenção de "detalhes" e o inchaço da narrativa, por vezes resultando em textos muito

13. O autor assinava a coluna *A Semana* no jornal *Gazeta de Notícias*, na qual comentava os fatos semanais. Ele se refere a este *fait divers* mais de uma vez com enfado e irritação. Ver Assis, Machado de. *A Semana (1892-1893)*, introd. e notas de John Gledson. São Paulo: Hucitec, 1996, p. 126 e p. 203.

14. Sodré, Nelson Werneck. *História da imprensa no Brasil*. 4.ed. Rio de Janeiro: Mauad, 1999, p.217.

longos e que se repetiam por dias, semanas ou meses seguidos, à semelhança de um folhetim. Na revista, a importância da imagem era maior que no jornal, como que prescindindo de grandes explicações.

No exemplo específico da *Revista Illustrada*, havia casos como o de Maria de Macedo que privilegiavam a exposição sem análise. Mas, no geral, a sátira política predominava, transformando qualquer assunto em mote para a crítica ao governo[15]. É o que ocorreu no quente verão carioca de 1876, quando sua quarta página trazia uma sequência de desenhos sob o título *Incêndios e mais incêndios*[16]. Neles, a tragédia ocorrida na semana vem acompanhada de imagens e frases que narram o evento, destacando a crítica ao governo e o tratamento irônico dado às autoridades.

No alvorecer do século XX, algumas revistas continuaram dando espaço aos *faits divers*, já bem disseminados pelos jornais. Diferentemente de suas antecessoras, dedicavam maior espaço ao mundanismo e à crítica superficial e bem-humorada, em lugar da ferina sátira política. Papel brilhante e de boa qualidade, textos leves falando da alta sociedade, poesias em francês e inglês, piadas e anedotas ao estilo de almanaque e, ao lado de ilustrações, muitas fotografias ("instantâneos de Kodak") a registrar a *Belle Époque* tropical. Em suma, "pratos leves", como se dizia à época. Quando apareciam, os temas dos *faits divers* apresentavam uma abordagem de verniz científico, como no caso de gêmeas siamesas[17], publicado na revista carioca *Fon-Fon* em 1907, ano em que este periódico veio a lume.

Voltada para a elite, seu editor, o homem de artes Gonzaga Duque, dava largo espaço à ilustração e teve em Raul Pederneiras e K. Lixto (Calixto Cordeiro), conhecidos caricaturistas da Primeira República, os diretores artísticos[18]. Neste caso, também importante é a fronteira com o humor. Uma vez que são revistas leves, para distrair, é frequente a presença de alguma frase ou legenda que inverta a mensagem original destas imagens "sensacionais", transformando a desgraça em algo cômico.

15. No que seria conhecido, posteriormente, como jornalismo-cidadão, em que o veículo de informação se coloca como porta-voz dos cidadãos.

16. *Revista Illustrada*, 08/01/1876.

17. *Fon-Fon*, 23/05/1907.

18. LIMA, Herman. *História da caricatura no Brasil*. Rio de Janeiro: José Olympio, 1963.

O Desastre da Saúde. Fon Fon, Rio de Janeiro, 28/12/1907.
Acervo BMA

Os Crimes de Amor. Fon Fon, Rio de Janeiro, 28/12/1907.
Acervo BMA

sem precedentes. Reações a esta exposição macabra são registradas[19], mas nada aplaca a sede de realismo, e a fotografia impera vitoriosa, expondo ainda vítimas e suspeitos em sua condição de imolados e monstros. Nas cenas mais complexas, era rara uma produção fotográfica, impedida pelos limites técnicos das máquinas existentes, o que faz crer que a preferência pelos mortos também se dê pelo fato de poderem ter suas imagens apreendidas pela câmara escura com maior acuidade. É o caso do registro de um incêndio no Rio de Janeiro sob o título *O Desastre da Saúde* e de um "drama passional" em *Os Crimes de Amor* (28/12/1907).

Entre outras revistas que trazem os temas dos *faits divers* estão a carioca *Careta* (1908) e a paulista *A Cigarra* (1914) que, ao estilo de *Fon-Fon*, dialogam com os *faits divers* publicados em jornais, às vezes

19. Em 1909, Lima Barreto, através de seu *alter ego* Isaías Caminha, reclama: "A não ser o 'Jornal do Comércio', pode-se dizer que os diários do Rio nada têm o que se leia e todos eles se parecem, pois todos têm a preocupação de noticiar crimes, escândalos domésticos e públicos, curiosidades banais e, em geral, ilustrados com zincografias que nada têm com o caso, quando não são hediondas ou imorais, como aconteceu com o 'O Globo' que, certa vez, deu a de um cadáver exumado, inteiramente nu." In: Barreto, Lima. *Recordações do escrivão Isaias Caminha*. São Paulo: Ática, 1998, p.100-1.

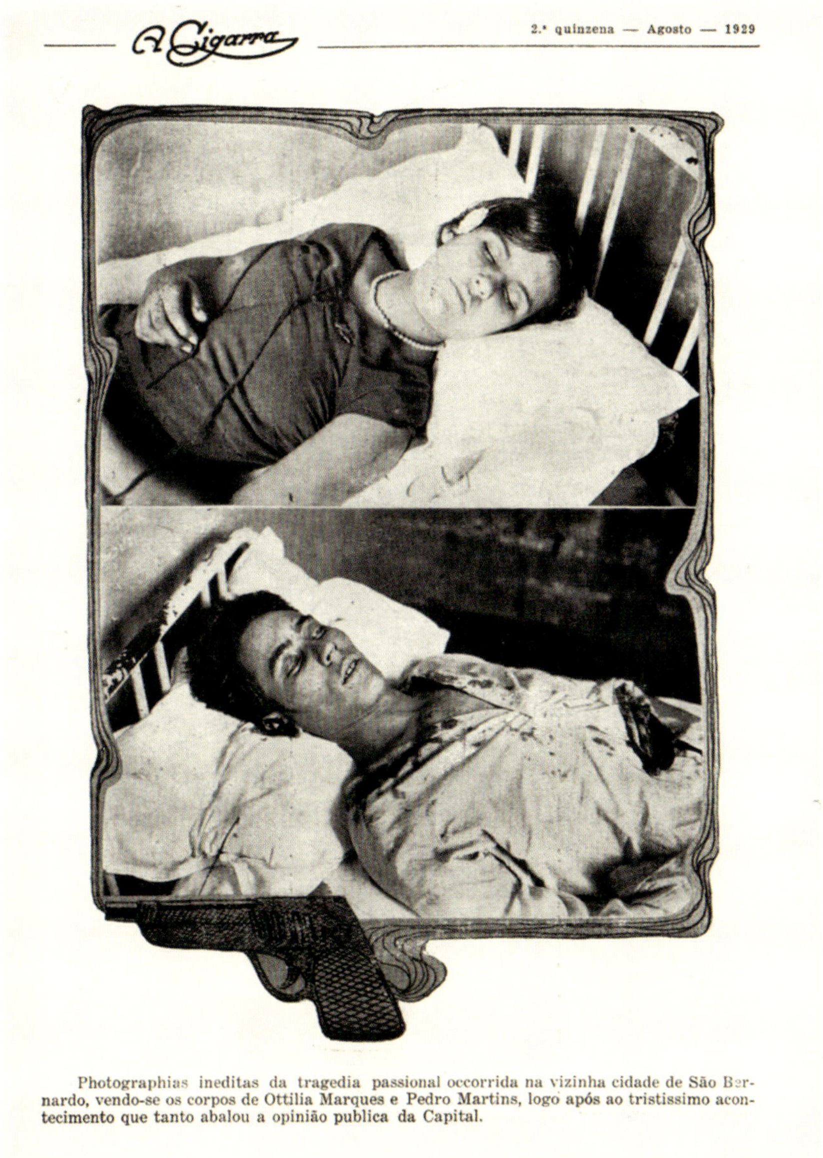

A Cigarra — 2.ª quinzena — Agosto — 1929

Photographias ineditas da tragedia passional occorrida na vizinha cidade de São Bernardo, vendo-se os corpos de Ottilia Marques e Pedro Martins, logo após ao tristissimo acontecimento que tanto abalou a opinião publica da Capital.

"Fotografias inéditas da tragédia passional ocorrida na vizinha cidade de São Bernardo, vendo-se os corpos de Ottilia Marques e Pedro Martins, logo após o tristíssimo acontecimento que tanto abalou a opinião pública da Capital." *A Cigarra*, São Paulo, ago. 1929.
Acervo BMA

usando do humor para aliviar o peso das tragédias[20], às vezes voltando ao estilo tradicional ao expor cadáveres de crimes passionais em imagens chocantes[21].

20. *Careta*, 22/02/1930, p. 31.
21. *A Cigarra*, ago. 1929, p. 37.

Com o surgimento de novos recursos tecnológicos, o apelo à fotografia tornou-se expediente comum também no jornal, que escandalizava e chamava a atenção. À original exposição destas anomalias físicas em espetáculos circenses sobrepunha-se a exposição pública através de ilustrações, dos clichês de fotogravura e fotografias, conforme a tecnologia disponível o permitia, o que multiplicava assustadoramente seu poder de alcance. Interagindo com o texto, as imagens o completavam ou, como nas revistas, eram deixadas a falar por si mesmas, dispondo apenas de curtas legendas.

Os *faits divers* em revistas apareciam, assim, mais citados que desenvolvidos em textos sensacionalistas. Davam frequentemente uma explicação científica que tornava o prodígio mais "civilizado". O efeito, no entanto, permanecia o mesmo: descrever, detalhar, expor, "espetacularizar" e, por fim, assimilar, anulando a ameaça e substituindo-a pela explicação racional que, ao mesmo tempo em que justificava a desgraça, a domesticava.

Podemos afirmar que as matrizes do jornalismo do século XX já estavam presentes nesta época. Na era de extrema exposição midiática em que vivemos, o exame dos *faits divers* em revistas do século XIX e início do século XX indica que o processo de espetacularização vem de longe e ainda conjuga o culto ao progresso e à tecnologia com a exploração sensacionalista do crime e da tragédia pessoal.

BIBLIOGRAFIA

Assis, Machado de. *A Semana* (1892-1893), introd. e notas de John Gledson. São Paulo: Hucitec, 1996.

Campbell, W. Joseph. *Yellow journalism*: puncturing the myths, defining the legacies. Westport: Praeger Publishers, 2001.

Charle, Christophe. *Le siècle de la presse* (1830-1939). Paris: Seuil, 2004. (L'Univers Historique)

Cruz, Heloisa de Faria. *São Paulo em papel e tinta*: periodismo e vida urbana, 1890/1915. São Paulo: Educ/Fapesp, 2000.

Guimarães, Valéria. Passageiros de bondes: leitores de jornais na caricatura de K.Lixto. *Patrimônio e Memória*: revista eletrônica do Centro de Documentação e Apoio à Pesquisa, Assis, v.6, n.1, p.32-53, jun. 2010. Disponível *online* em: http://www.cedap.assis.unesp.br/patrimonio_e_memoria/patrimonio_e_memoria-v.6.n1/artigos/passageirosdebondes.pdf Acesso em 10 nov. 2011.

_____. A revista Floreal e a recepção aos *faits divers* na virada do dezenovevinte. *Galáxia*: revista do Programa de Pós-Graduação em Comunicação e Semiótica, São Paulo, v.19,

p.274-290, jul. 2010. Disponível *online* em: http://www.sumarios.org/sites/default/files/pdfs/54305_6297.PDF Acesso em 10 nov. 2011.
GUIMARÃES, Valéria (org.). *Les transferts culturels*: l'exemple de la presse en France et au Brésil. Paris: L'Harmattan, 2011.
HALLEWELL, Laurence. *O Livro no Brasil:* sua história. 2. ed. São Paulo: Edusp, 2005.
LIMA, Herman. *História da caricatura no Brasil.* Rio de Janeiro: José Olympio, 1963. 4 v.
MARTINS, Ana Luiza. *Revistas em revista*: imprensa e práticas culturais em tempos de República; São Paulo, 1890-1922. 1. reimpr. São Paulo: Edusp, 2008. [A 1.ed. é de 2001].
MARTINS, Ana Luiza; DE LUCA, Tânia Regina, orgs. *História da imprensa no Brasil.* São Paulo: Contexto, 2008.
PADILHA, Márcia. *A cidade como espetáculo*: publicidade e vida urbana na São Paulo nos anos 20. São Paulo: Annablume, 2001.
SALIBA, Elias Thomé. *Raízes do riso*: a representação humorística na história brasileira; da Belle Époque aos primeiros tempos do rádio. São Paulo: Companhia das Letras, 2002.
SCHWARTZ, Vanessa R. O espectador cinematográfico antes do aparato do cinema: o gosto do público pela realidade na Paris fim-de-século. In: CHARNEY, Leo; SCHWARTZ, Vanessa R. (orgs.). *O cinema e a invenção da vida moderna*. 2.ed. São Paulo: Cosac & Naify, 2010. [A 1.ed. é de 2001].
SEVCENKO, Nicolau. *Orfeu extático na metrópole*: São Paulo, sociedade e cultura nos frementes anos 20. São Paulo: Companhia das Letras, 1998. [A 1.ed. é de 1992].
SINGER, Ben. Modernidade, hiperestímulo e o início do sensacionalismo popular. In: CHARNEY, Leo; SCHWARTZ, Vanessa R. (orgs.). *O cinema e a invenção da vida moderna*. 2.ed. São Paulo: Cosac & Naify, 2010. [A 1.ed. é de 2001].
SMYTHE, Ted Curtis. *The gilded age press, 1865-1900*. Westport: Praeger Publishers, 2003. (The History of American Journalism, v.4)
SODRÉ, Nelson Werneck. *História da imprensa no Brasil.* 4.ed. Rio de Janeiro: Mauad, 1999. [A 1.ed. é de 1966].
SOULET, Jean-François. *L'histoire immédiate*: historiographie, sources et méthodes. Paris: Armand Colin, 2009.

FONTES E ABREVIATURAS

OBRA LITERÁRIA

BARRETO, Lima. *Recordações do escrivão Isaias Caminha*. São Paulo: Ática, 1998. [A 1.ed. é de 1909.]

REVISTAS

Revista Illustrada (1876; 1892) – RI
Fon-Fon (1907) – FF
Careta (1930) – CR
A Cigarra (1929) – ACI

ACERVOS

Biblioteca Mario de Andrade – Seção de Obras Raras
Biblioteca Florestan Fernandes – FFLCH-USP
Biblioteca Nacional – Acervo Digital

Passado vivo e vibrante

ROBERTO POMPEU DE TOLEDO*

Pesquisar em velhos jornais e revistas não é apenas de uma utilidade incomparável, para quem remexe o passado. É também uma delícia. A parte da delícia deixo para daqui a pouco. A parte da utilidade nem precisaria ser dita, mas vá lá – naquelas velhas páginas, o passado ressurge em primeira mão, sem o filtro dos pósteros, e por isso mesmo vivo e vibrante.

Os lucros são apreciáveis. Vislumbrar o passado, tal qual visto pelos que o viveram, é um antídoto contra o cacoete anacrônico de julgá-lo pela lente de gerações já disparadas na frente. E se a visão é chapada, sem a perspectiva que o distanciamento oferece, não é mau que seja assim. A ausência da perspectiva resulta numa espécie de colagem cubista. Sobre o mesmo fato incidem uma notícia aqui, um comentário ali, outra notícia e outro comentário diferentes talvez, num outro jornal, ou quem sabe até no mesmo outras tantas notícias e comentários que contradizem as anteriores nas edições dos dias seguintes, ou até no mesmo dia, e assim vamos.

O ponto de vista é de quem está vivendo o calor da hora, e são tão lamentáveis os descuidos na apuração e as omissões na exposição, quanto são inevitáveis as conclusões apressadas e as distorções, às vezes motivadas pelas ilusões de óptica, às vezes pela paixão de parte

* Jornalista e escritor, Roberto Pompeu de Toledo é colunista da revista *Veja* e autor de *A capital da solidão:* uma história de São Paulo das origens a 1900.

interessada. Não é mau que seja assim, porque a vida, vivida ao calor da hora, é assim. Acresce que os critérios de edição e as técnicas narrativas do jornalismo do passado não são os mesmos do jornalismo de hoje. Se não levar isso em consideração, o pesquisador desatento será induzido a engano. O pesquisador atento extrairá daí um ganho. Além do fato, terá outra riqueza a pesquisar, que é o *modus operandi* da cabeça de quem o está narrando ou comentando.

Quanto à delícia de manipular velhos jornais e revistas, isto está reservado aos bem-aventurados com capacidade de, em paralelo ao trabalho, deixar-se viajar pelas aprazíveis trilhas da digressão. Com um jornal inteiro nas mãos, ou uma revista inteira, é forte a tentação de ir além dos estritos limites do objeto da pesquisa. E como a melhor forma de enfrentar as tentações, como ensina Oscar Wilde, é ceder a elas, eis-nos a gozar da delícia de percorrer os anúncios. Ou de ir à seção de cinema para ver o que estava passando no Marabá ou no Majestic. Ou então, delícia das delícias, saber, ao chegar à página de esportes, que ao vencer o São Paulo por 4 a 2 o Santos sagrou-se campeão paulista de 1956. O Santos jogou com Manga, Wilson e Feijó; Ramiro, Formiga e Zito; Tite, Del Vecchio, Pagão, Jair e Pepe. O São Paulo, com Bonelli, Clélio e Mauro; Sarará, Vitor e Alfredo; Maurinho, Zezinho, Gino, Dino e Canhoteiro. Gols de Feijó, Tite e Del Vecchio (dois) para o Santos, e Zezinho (dois) para o São Paulo.

EM ESPLENDIDA VIRADA, O SANTOS CONQUISTOU O TITULO DE BICAMPEÃO

Empolgante a peleja final do Campeonato Paulista de 56 — Mudando de tatica e adotando os contra-ataques no segundo tempo, o alvinegro praiano conseguiu colher merecida vitoria por 4 a 2

Seguem hoje para Atibaia os craques da seleção paulista — Brandão não está firme no Corintians — A assembléia da F.P.F. — Jogo domingo no Canindé: Portuguesa vs. São Bento

Como se esperava, definiu-se ontem à noite o titulo de campeão paulista de futebol da temporada de 56. E coube ao Santos, mercê de uma atuação aguerrida e até certo ponto tecnicamente brilhante, obter os maximos laureis do arduo e emocionante certame. Sagra-se, pois, o time da vizinha cidade, bicampeão bandeirante, num atestado eloquente de que conseguiu, de fato, reunir em seu plantel o melhor grupo de jogadores de que atualmente dispõe um clube da Primeira Divisão da F.P.F.

O embate foi renhido, como era de se aguardar. No primeiro tempo, o São Paulo chegou a pintar como o provavel vencedor, muito embora os santistas já então apresentassem um volume de jogo superior, quase todo ele, porem, concentrado no meio da cancha. No tempo complementar foi que o Santos se muniu dos recursos taticos que o levaram à espetacular vitoria por 4 a 2.

Cartaz Esportivo

Competições de hoje

Competições de amanhã

Competições de domingo

Resultados de ontem no Hipodromo Campineiro

Não aposte corrida com os automoveis

Folha da Manhã, 4/01/1957.
Acervo Folha de S. Paulo

Fac-Símile

A Biblioteca Mário de Andrade conserva em sua Coleção de Obras Raras e Especiais um exemplar de *Avião*, revista editada em 1948 por um grupo de artistas e escritores na pequena cidade de Bagé, no Rio Grande do Sul. A publicação artesanal, de exemplar único, foi doada à Biblioteca por Sérgio Milliet em 1951. A publicação foi organizada pelo poeta Ernesto Wayne e pelo artista e designer gráfico Glauco Rodrigues, que posteriormente teria atuação destacada como ilustrador, gravurista e capista da revista *Senhor*. Esta seção Fac-símile apresenta algumas páginas de *Avião* e uma recriação poética feita por um grupo de artistas coordenados por Regina Silveira. Em *Par Avion*, trabalho criado especialmente para a Revista da Biblioteca Mário de Andrade, o grupo fez um exercício de "contaminação" e "resposta poética" à publicação da década de 1940, resultado de pesquisa e investigação plástica inspiradas no imaginário dos voos, das viagens e da comunicação.

Par Avion

REGINA SILVEIRA*

O AVIÃO

Fui conhecer, na Biblioteca Mário de Andrade, a revista *Avião*, único exemplar de uma publicação realizada, em 1948, por um pequeno grupo de poetas e artistas, em Bagé, cidade gaúcha situada quase na fronteira com o Uruguai. Organizada pelo poeta Ernesto Wayne e o artista Glauco Rodrigues, os "donos do avião", a revista, feita inteiramente à mão – um tipo de "teco-teco" segundo seus organizadores - tinha o objetivo de alçar voo a São Paulo, para encontrar outros "aviões", que se acreditava mais potentes. Com dedicatória ao escritor Alcantara Silveira, o *Avião* de fato viajou – e aterrissou na Biblioteca Mario de Andrade, por doação do crítico Sergio Milliet, em 1951.

Sobre uma das mesas do Acervo de Obras Raras e Especiais, a revista parece uma espécie de "cadáver esquisito" (*cadavre exquis* é o nome do jogo surrealista) pelas justaposições e costuras peculiares de seu conteúdo de imagens, poemas, textos, partitura musical e fotos.

* Regina Silveira nasceu em Porto Alegre em 1939. Artista plástica com extensa trajetória, tem apresentado suas obras em exposições nacionais e internacionais, desde os anos 70. Recebeu bolsas da Fundação Guggenheim (1990) e da Pollock-Krasner (1993), entre outras. De suas premiações mais recentes, destacam-se o Prêmio Sergio Motta para Arte e Tecnologia (2000), o Prêmio Bunge para Artes Plásticas (2009) e o Grande Prêmio da Crítica da APCA São Paulo (2010).

enquanto eu esperava um táxi que me levasse da recepção do City Hotel, onde ele trabalhava, aos locais da Bienal do Mercosul. Não esqueci dos desenhos e pude reaver um conjunto deles com ajuda de Fernanda Albuquerque, curadora da Casa M, em Porto Alegre. Considerei que este imaginário extraterrestre fazia falta no *Par avion*, como dimensão poética interestelar, onde os voos são maiores, em direção ao que não conhecemos.

A imagem que elaborei para a abertura reitera minha relação, quase corpo a corpo, com esses muitos aviões; e no fechamento, para acompanhar os desenhos das naves interestelares, incluí uma foto do UFO que projetei no centro de São Paulo, em 2006.

CONTEXTO DO *AVIÃO*

Desde o início era importante saber mais sobre o contexto da revista, para emprestar mais consistência ao terreno em que se moviam as colaborações. Também desejava me religar com os artistas de Bagé, para perceber como era o ambiente criativo da cidade, naqueles anos da revista, quando eles tinham menos de 20 anos de idade. Encontrei, entre eles, Glênio Bianchetti, um dos colaboradores do *Avião* de Bagé, artista que conheci no Rio Grande do Sul antes que ele se mudasse para Brasília, nos início dos anos 1960, para ensinar na então recém-formada Universidade Nacional de Brasília (UnB). Ele, como outros colaboradores do *Avião*, teve uma trajetória reconhecida, em nível regional e nacional, por caminhos bem distintos aos prenunciados pela revista.

Bianchetti lembrou muito bem da ilustração que fizera para o poema de Ernesto Wayne, quando ainda não havia completado 18 anos de idade. Na conversa que tivemos, ele me contou também que *Avião* não foi a única revista daquele grupo de cerca de dezesseis pessoas que viveu em Bagé durante cinco anos de convivência e colaboração. Citou outras publicações (*O Muro* e *Os Absolvidos*), também feitas à mão, mais ou menos no modelo do *Avião*.

Para a existência do grupo tinha sido fundamental a tutela do poeta, escritor e jornalista Pedro Wayne (pai do poeta Ernesto Wayne), um baiano que se mudara para os pampas e que conhecera a turma da Semana de 22: Mário e Oswald de Andrade, Tarsila do Amaral,

Menotti del Picchia e outros. Pedro Wayne era um tipo de agitador cultural, que estimulava e orientava os jovens. Era na sua grande e atualizada biblioteca que eles iam buscar informação.

No *Avião*, a influência de Pedro Wayne fica clara no alto repertório das citações e remessas: Mário, Oswald, Carlos Drummond de Andrade, Fagundes Varella, Murilo Mendes e outros mais, junto a Platão, Camões, Walt Whitman, T.S. Elliot, e Stravinski do lado musical. Entre as imagens, a herança mais clara vinha de Dalí, Miró e Arp. A boa surpresa foi encontrar a Mona Lisa de bigodes feita por Duchamp. Iconoclastia e derrisão em Bagé?

Provavelmente foi Pedro Wayne quem enviou a Alcantara Silveira o exemplar que a moçada lhe dedicara. Bianchetti me disse ainda que a cidade em si, mesmo sendo relativamente rica, trazia muitas dificuldades para a produção dos artistas, pela distância dos centros maiores. E essa distância não era apenas no sentido cultural, mas também no estritamente material. Para poder trabalhar, tinham que trazer um pouco de tudo. Até papel jornal para desenhar faltava em Bagé.

CONTEXTO DA CIDADE

Contudo, eu ainda queria saber mais, para entender por que Bagé, situada nos confins do mapa do Brasil, era como era nos tempos do *Avião*. Foi o arquiteto Nelson Saraiva da Silva, outro bageense, intelectual e cidadão do mundo, atualmente vivendo em Florianópolis, quem jogou um pouco mais de luz sobre a questão, durante nossa única e simpática conversa por telefone. Do seu vasto e interessantíssimo campo de estudo sobre alguns lugares do mundo (tema de sua tese doutorado, "Arquitetura da maior à menor escala: vivências, projetos, e reflexões sobre os lugares marinheiros catarinenses", na FAU/USP, 2006), ele resumiu para mim, na medida das minhas necessidades e perguntas, alguns tópicos para explicar de onde vinha a riqueza desta pequena elite pecuária que, no pós-guerra, alimentava o mundo com seus rebanhos de gado e frigoríficos. Pude entender que, no vasto pampa gaúcho, então e ainda hoje uma fronteira permeável entre Brasil, Uruguai e Argentina, a relativamente pequena Bagé era uma cidade rica, com desenho urbano planejado, diversas bibliotecas bem equipadas e culturalmente muito mais ligada às

Capa da revista *Avião*.
Acervo BMA

capitais do Rio do Prata do que a Porto Alegre, a capital brasileira mais próxima.

Lá, as melhores revistas e periódicos chegavam da Argentina e do Uruguai, e mesmo crianças liam em castelhano. Enfim, falar de Bagé nos tempos do *Avião* era falar de uma elite da fronteira e de um outro Brasil, mais exposto à cultura espanhola do que o resto do país.

Tudo isto explicaria melhor o contexto do *Avião*? E o *Avião* em si? Espero que sim.

VIA AÉREA

Para encerrar esta apresentação, digo que o título *Par Avion* foi uma escolha de consenso. Todos concordamos com a ideia de usá-lo também como timbre para marcar as páginas novas, na forma daquele selinho postal que se colocava na correspondência aérea.

Como título parece funcionar bastante bem para o sentido que lhe emprestamos – de algo que vai voar – apesar de sabermos que o selinho, em si, já é totalmente anacrônico. Na agência de Correios que frequento, me disseram que ele não existe mais, porque hoje em dia, naturalmente, "tudo vai de avião".

Novembro, 2011

AViaÕ

NÚMERO DE NATAL

Donos do "AVIAO"-Ernesto R.C.Wayne e Glauco Rodriguês

Vão no "AVIAO"- ,Jacy Maraschin,Paulo Bisól e Glênio Bianchetti.

Preço deste número-não vale nada

EXEMPLAR ÚNICO DEDICADO AO ALCANTARA SILVEIRA

Tiragem desta edição-1 exemplar,o primeiro e último.

Avenida Sete de Setembro,600.
BAGÉ RIO GRANDE DO SUL

"SINTO-ME NATURAL A MILHARES DE METROS DE ALTURA,
NEM AVE NEM MITO " Carlos Drummond de Andrade.

PAR AVION

CARLOS ISSA

CADÁVER ESQUISITO
(aerograma para Ernesto Wayne)

Sobre Guernica
Breda e Fiat
de Mussolini
Junker e Heinkel
de Hitler
Contra
Tupolev e Polikarpov
de Stalin

Kamikaze Mitsubishi
sobre Pearl Harbour
Enola Gay
sobre Hiroshima

Ó meu 14 Bis, Santos Dumont!
Ó meu Saint-Éxupery!

Seu Alcantara:Ó.

Taí a revistinha que o senhor pediu.Revistinha da geração do natal de 48, imagine.Desculpe esta esculhambação,é que ainda não temos as ideias sentadas(apesar de já termos inventado um "ismo",o interjeicismo que outro dia lhe conto o que é.)todos os que métem o bico no "Avião" estão com 20 anos ou por fazer.Précocidade ou burrice o "avião"levantou vôo. Paraquedistas quem sabe ?

O senhor está nos devendo as revistonas daí.Trate de manda-las.

No mais,dê o destino que quisér para o nósso téco-téco.Se não fôr incomodo apresente-o as b-29 de s.Paulo:Orfeu,Colégio,Milliet,Oswald etc.

TINHA MEDO DO GAVIÃO

ão

EW

PÁGINA INFANTIL

HISTÒRIA DE DIA DE NATAL

OS QUINHENTOS REIS DE NEVE

caso de anãozinho

então veio o anãozinho e disse para a criada flor que pegou v
vreu varreu varreu e então pegou e leu que não sabia ler a ca
do vidro toda verde e disse que o patrão que éra muito mau ti
raiva de estrela furada toda de bilhetinho e saiu chorando po
que já éra muito boasinha e estimada e o anão feioso se lembr
que éra de batisado e ela disse que éra madrinha porque o anã
éra o filho mais vélho das fadas

uns quantos anãozinhos viéram buscar ela para í na casa deles
toda de agua mas não se molhava e viu a fada vélha dos anão n
cama que éra toda toda de ouro prata faca mar árvore pássarinh
tudo

depois da fésta houve brinquedo de róda pegador bate o pé que
ninguem te quê pronto meu anjo de anilina seu joão quantos pã
tem no forno pedra livre vinticinco e um queimado e tudo entã
se acabou e o anãosinho fado disse para ela que fica fica fic
foi então ela pegou e agarrou e disse que não podia ficar por
era muito caprichosa e a casa estava muito desarrumada e ela t
que arrumar a casa mais eles foram e disseram e elá pegou e fi

e quando ela tinha que se í embóra eles ficaram muito triste e
começaram a chorar quinhento reis e deram muito dinheiro para
ela de rósa e muitos abraços e eles deram muitos beijos nela e
ela se foi muito contente

E foi para casa quando viu que tinha morrido e já tinha passad
muitos anos de neve e os outros tinham morrido nos donos da ca
que não moravam mais alí

ernesto rubens calo wayne

ESPANTO

Thereza Salazar

Par Avion

casa modo avião

[gosto de caixa superfície da língua]
ver a mão esquerda em direção ao rosto para enxugar o suor:
o gosto de papelão a cada vez que engolia saliva. birutas,
papagaios oscilam restos de oceano, enredam ondas.

[heroína sadeana na coleção breton]
olhos de búzio, sorriso selo par avión. carimbos: expressões
algébricas e lúbricas sobre o atlântico ou impulsos de ancas
fazem da mão esquerda, larva de louva-a-deus, um mergulho.

[uma curta distância contém água]
com a couve enferrujando em casa, um pântano água-agrião
se dissesse cárie ou anjo: tocaria turbinas, mesmo preferindo
iniciar corações induzi-los ao erro e depois soprá-los: adeus.

ABSTRAÇÃO Nº2
(FRAGMENTO)

JACY MARASCHIN

O grande estilo musical nunca é descritivo.
Sua vida consiste na própria musicalidade.
Murilo Mendes.

formulário de imigração

há muitas formas para se chegar
a uma cidade
sobrevoada
tantas vezes em destinos contrários
vinda do nordeste
com particular rudez
levo nos pés
o desvio do sudeste
brasil, sampaulo
escala sem paragem
acompanhada de aeroplanos,
chicletes e protetor labial: LIS
de lisboa
digo para ver
repetindo no nome
– lixboa,
em variação de leitura –
um verso de outro feitio
assim é chegar
e continuar a viagem dentro da viagem
construir toda uma nova geografia
particular
sobrepondo
em cada ponto real
impossivelmente real
o encontro com relevos,
terrenos íngremes, ladeiras

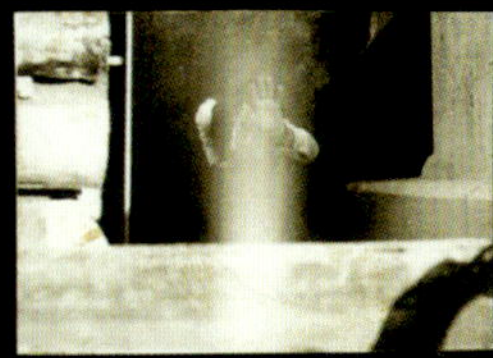

APRENDIZADO DE CINEMA

Onibus e paisagem
Fita da "Avião"

pedras brancas e
pretas
uma só nudez
rápidas impressões vagas
avisto
de cima da morada
pela janela a passeio
rua de são bento, 576
2º direito
é apenas uma indicação
e não precisa
dispersa
mapas, ruas submersas
onde tantas vezes encontramos
nos endereços antigos
segredos bem conservados
sem saber que dali a dias
mais à frente, sim, alguns anos
faríamos um cruzamento qualquer
de simples intenção
falhada
amor,
como demoramos a perceber
à primeira vista
as maiores evidências
a língua tão próxima
e no entanto outra
cais aberto entre colunas
à beira d'água
(onde eu gostaria de deixar
morrer)

a velha terra mãe, pai, portugal
tudo dito antes, diferente
explicava o guia em inglês
de forma proposital
what the tourist should see
um dos seus melhores disfarces
embaixo das arcadas, sem titubear
perfume de cachaça
seguido pelo nome bagaço
uma bebida tão forte quanto
um flagrante delitro
– como é grande o terreiro!,
cheio de galos, ovos, azeite
e cheiro a bacalhau, sardinha
fritos
gordura espelhada nas calçadas
mistura de doces
à moda das freiras
hábito cosido por corvos
ave curva, encovada
cobertura de mulheres
encruadas
e, por fim,
não esquecer
o último toque
acrescentar canela
em pó
sobre a clara
em ponto de neve
além de raspas, lascas
da casca de lima

da pérsia
todos os clichês
inventariados
de relance
no primeiro lance
de escadas
para logo em seguida
desmoronarem
no segundo, paramos –
eu e todas as expectativas na bagagem
à entrada do lugar

assim é chegar

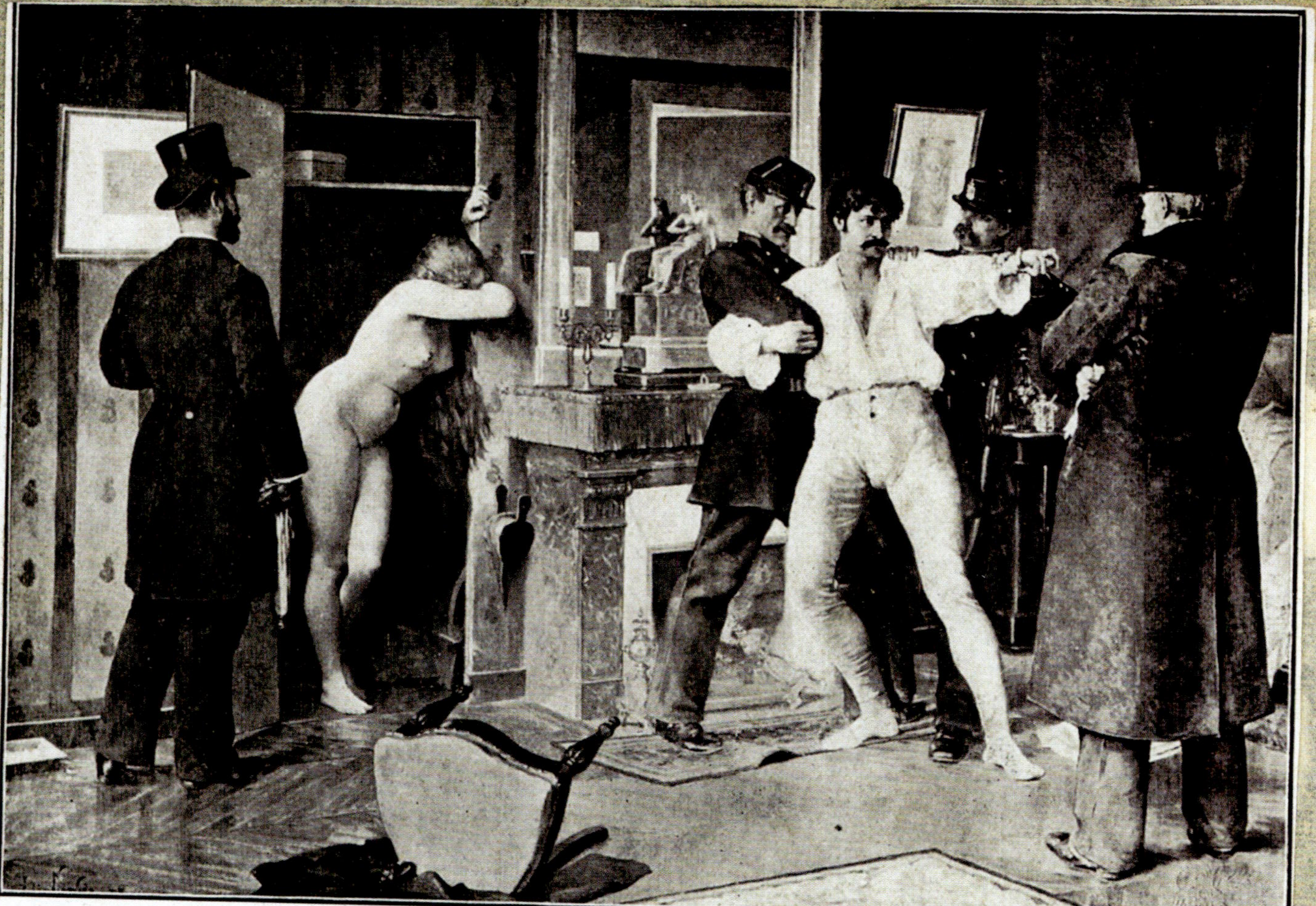

INFRAGANTI,

Onibus e paisagem
Fita da "Avião"

INFRAGANTI, O Cair da Tarde

CULTO AOS MÓRTOS! CULTO AOS MÓRTOS
PASSAGEM PARA UM GRANDE ENTERRO

† NECROLOGIA

†

Polonio, Orfilã, Laertes, Manuel, Rita
E Pedro, pais e irmãos da sempre
lembrada

----

ofélia silveira

----

ontem afogada, convidam as pessoas de
suas relações e amizade para assisti-
rem as cerimonias de encomendação e
sepultamento da querida extinta.

Oh vento que matais as rósas, vento frio !
Quando me levareis mudado em poeira ?
Augusto Frederico Schmidt

†

AQUI ANTÔNIA IRMÃ DO PADRE FRANCISCO DE LUNA
ESPERA A RESSUREIÇÃO DOS MORTOS

M. M.

Morrer.
Morrer de corpo e de alma.
Completamente. Manuel Bandeira.

Resignemo-nos a tudo, até a felicidade
Amiel

O Concorde foi o mais famoso avião supersônico e um dos dois únicos a operar de maneira comercial, a partir da década de 70. Seu design era marcante. O bico afiado, adunco e o porte imponente remetia a uma ave de rapina.
Começou a operar em 1976 pela British Airways e a Air France,tendo quebrado vários os recordes de navegação aérea, mas devido a alta emissão de ruído, teve operação limitada especialmente nos Estados Unidos. Apesar do entusiasmo incial, apenas 20 exemplares foram construídos. O avião podia chegar até 2600km/h contra 900 km/h de um Boing 747, por exemplo.
O Concorde operou sem acidentes por quase trinta anos, mas foi aposentado em 2003, em grande parte devido a um acidente acontecido no vôo 4590 em 25 de julho 2000 no Aeroporto Charles de Gaulle. Na ocasião devido a uma peça de outro avião caída na pista, um dos quatro motores do Concorde incendiou-se e todos na nave morreram.

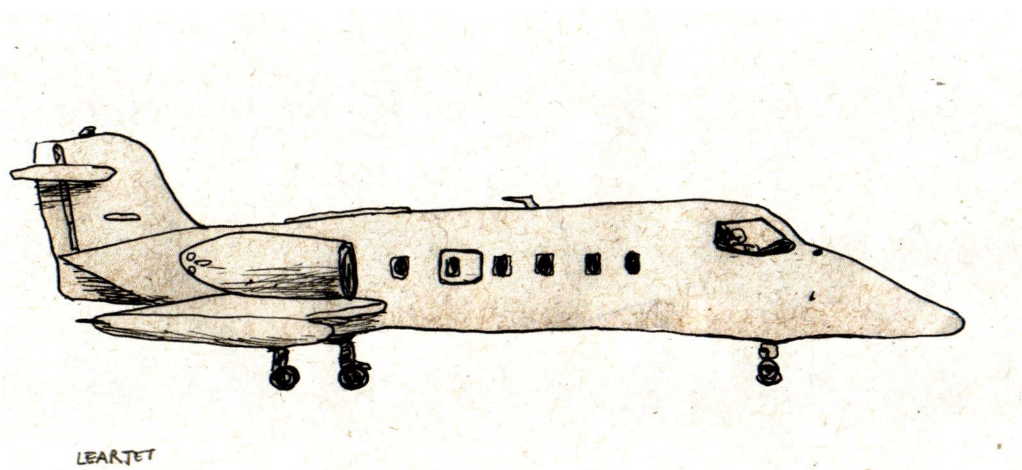

O Learjet é um dos modelos mais populares de pequeno jato bimotor de uso civil e militar. O modelo Learjet25 foi lançado em 1967. Acomoda até 8 passageiros e dois tripulantes. Foram registrados 55 acidentes com aeronaves deste tipo e 12 delas no Brasil. A mais famosa delas foi a que envolveu a aeronave PT-LSD que conduzia a banda Mamonas Assassinas ao Aeroporto de Guarulhos em 2 de março de 1996. A aeronave perdeu o controle e caiu numa área remota da Serra da Cantareira. Todos a bordo morreram.

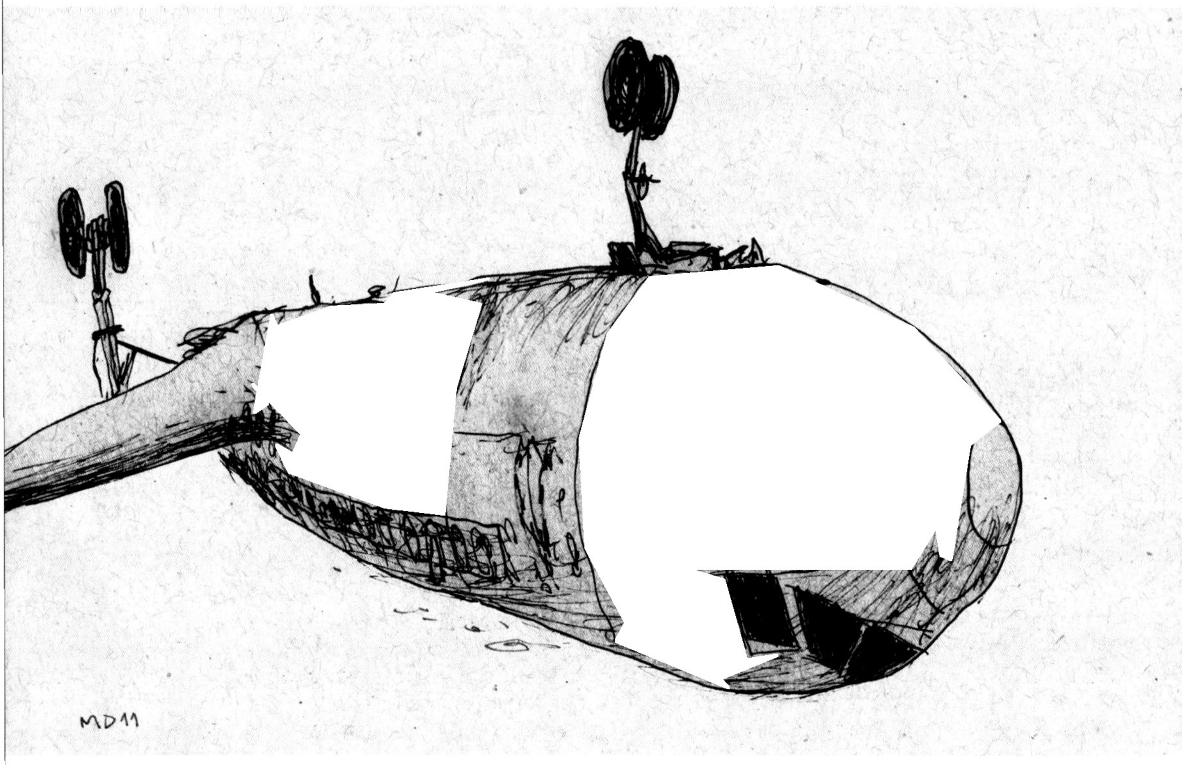
MD11

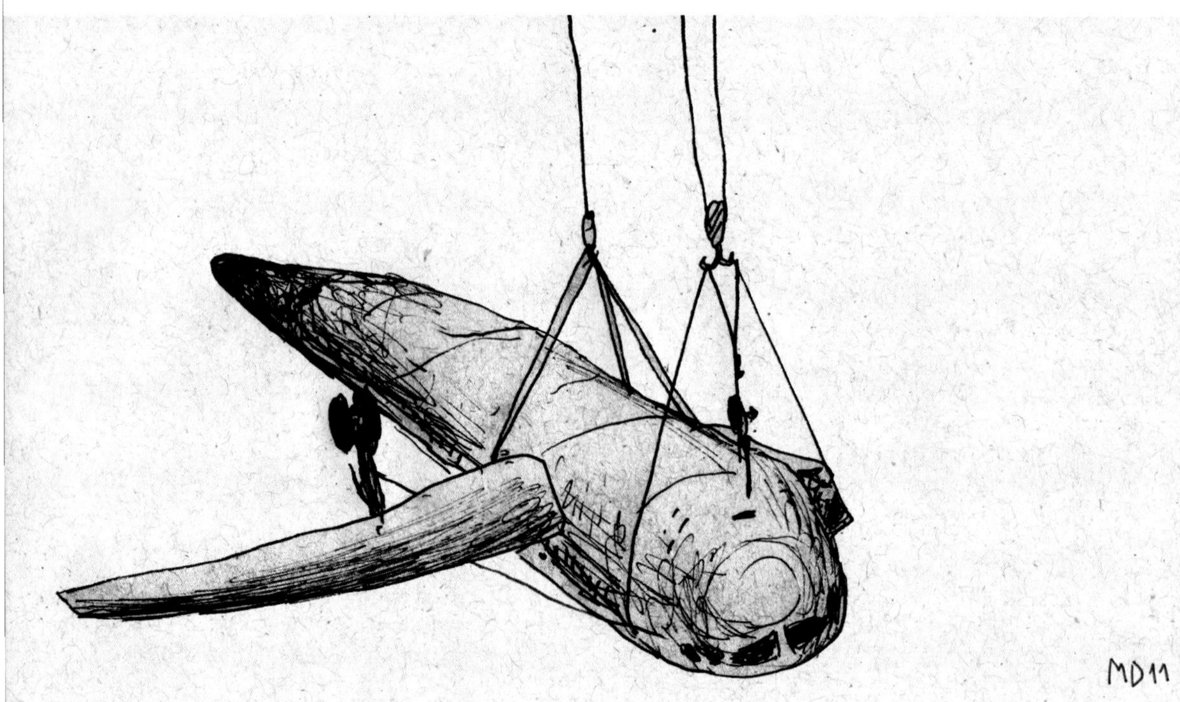
MD11

O trijato McDonnel Douglas MD11 foi o sucessor do McDonnel Douglas DC10, um famoso modelo do fim dos anos 60 que junto o Lookheed L1011, o Boing 747 e o Airbus A330 dominou a navegação civil nos anos 70. Embora o DC10 tenha tido versões militares (o KC10), o MD11 teve utilização civil. As diferenças entre os dois modelos eram pouco visiveis. O MD11 não teve a aceitação no mercado que a McDonnel Douglas esperava, mas pode ser produzido graças a encomendas importantes como a FEDEX e a American Airlines, por exemplo. Mas na década de 90 o desempenho do MD11 foi questionado e alguns acidentes selaram o destino da aeronave e da própria construtora. A American Airlines listou 100 problemas para serem corrigidos nas aeronavem encomendadas. A McDonnel Douglas teve de ceder a pressão do mercado e acabou sendo comprada pela Boing em 1997 e o MD11 deixou de ser produzido em 2001

O AirBus A300 é um avião comercial produzido desde 1967 pela Airbus francesa. A família Airbus expandiu-se ao longo dos anos produzindo também os modelos A310, A320, A330, A340,A350 e A380. Em comum os modelos são projetados para longas distâncias. Seu concorrentedireto é o tradicional Boing 747, talvez o mais bem sucedido modelo aeronáutico dos últimos 30 anos. Os aviões da Airbus são precursores do sistema Fly by wire ou sistema de controle por cabo elétrico, que regularizam os comandos do piloto por computador e aumentam a capacidade de manobra da nave.
Em junho de 2009 um Airbus A330 operado pela Air France no vôo 447 Rio de Janeiro-Paris caiu no Oceano Atlântico a cerca de 1300 kms da costa brasileira. Seus 228 ocupantes morreram. As causas do acidente nunca foram completamente esclarecidas. Alguns destroços e as caixas pretas foram encontradas em abril de 2011, mas foram inconclusivas no motivo da tragédia.

Existem poucos museus dedicados a aviões no Brasil, o maior deles no Rio de Janeiro. A companhia Tam também possui e exibe seu acervo de máquinas. Um endereço menos conhecido - e sem dúvida menos abonado é o Museu de Armas, Máquinas e Veículos Antigos Eduardo André Matarazzo em Bebedouro, Estado de São Paulo. O museu é mais conhecido como o Museu do Automóvel, apesar do acervo eclético - o museu possui 300 peças que variam de escafandros a locomotivas.
Entre eles algumas aeronaves, mas a falta de hangares faz com que várias de suas preciosas relíquias fiquem ao relento. Entre eles figura o único remanescente SAAB 90 Scandia no mundo, o PP-SQR. O SAAB 90 Scandia foi um modelo desenvolvido pela Scandia sueca em 1944 para uso civil, com muitas similaridades com o DC10 Douglas Dakota. Carregava até 32 passageiros e tinha autonomia de 1000kms. A VASP e a Aerovias do Brasil adquiriram inicialmente 6 unidades e posteriormente a VASP adquiriu outras unidades da frota da SAS que foram utilizados entre 1950 e 1969. O último exemplar existente - em péssimas condições de conservação - é o do Museu de Bebedouro. Em 1987 a SAAB propôs a compra da aeronave, mas não conseguiu realizar o negócio.

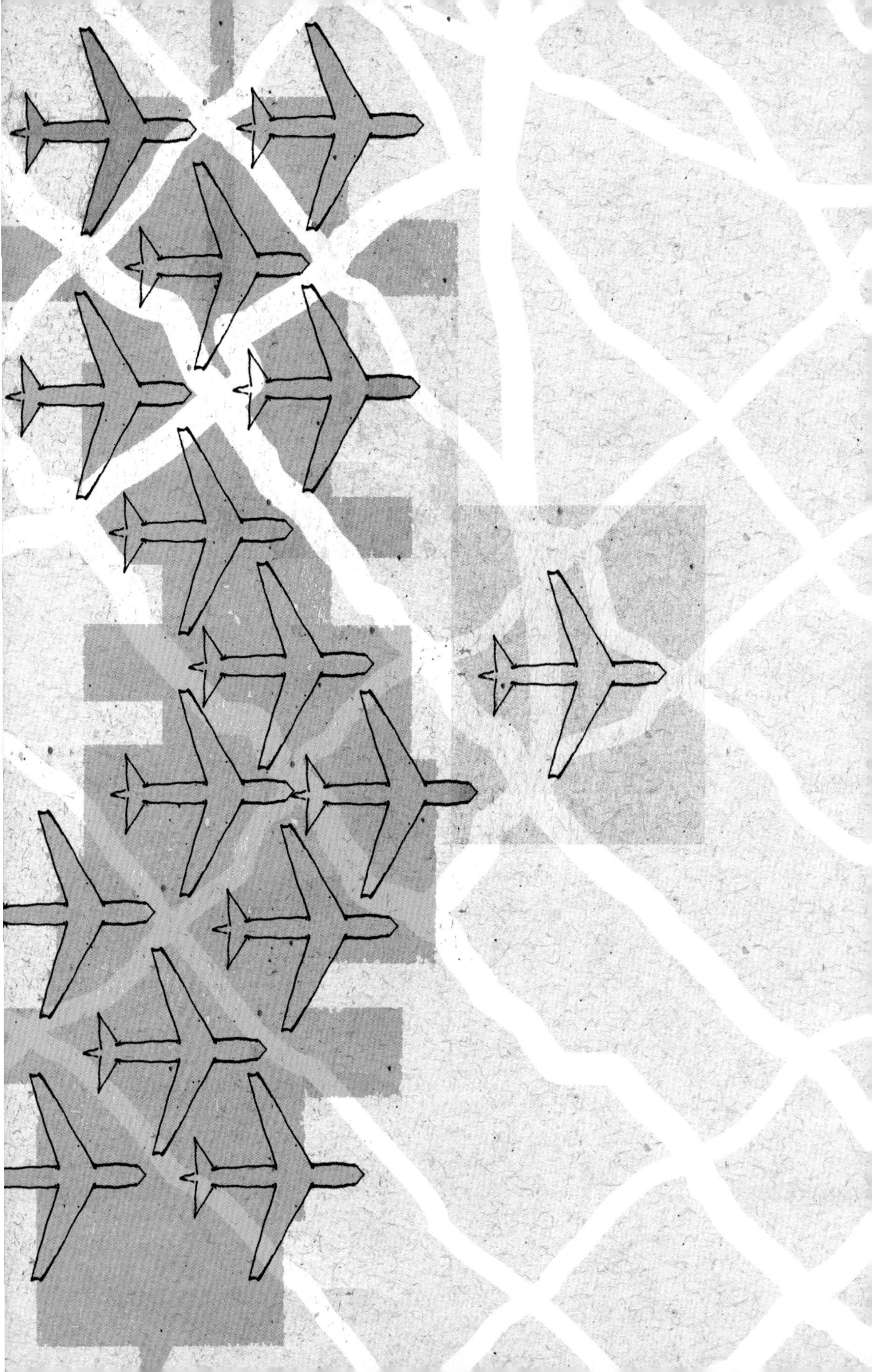

O cemitério de aviões em Tucson, Arizona é considerado o maior do mundo. Possui cerca de 4000 areonaves estacionadas em seus pátios e só sua pista de aterrisagem já é uma atração em si devido ao porte descomunal.O cemitério é uma base aérea militar utilizada para estocar aviões em desuso do governo. Fundado em 1946 foi idealizado para abrigar os aviões que voltaram da Segunda Guerra. Hoje eles já não estão lá. A maior parte dos aviões estacionados são da época do guerra do Vietnan.
O local - no deserto de Sonora- foi escolhido devido a sua baixa umidade, que auxilia na preservacão das naves. Algumas aeronaves tem peças recicladas e outras necessitam manutenção para evitar o vazamento de componentes tóxicos.

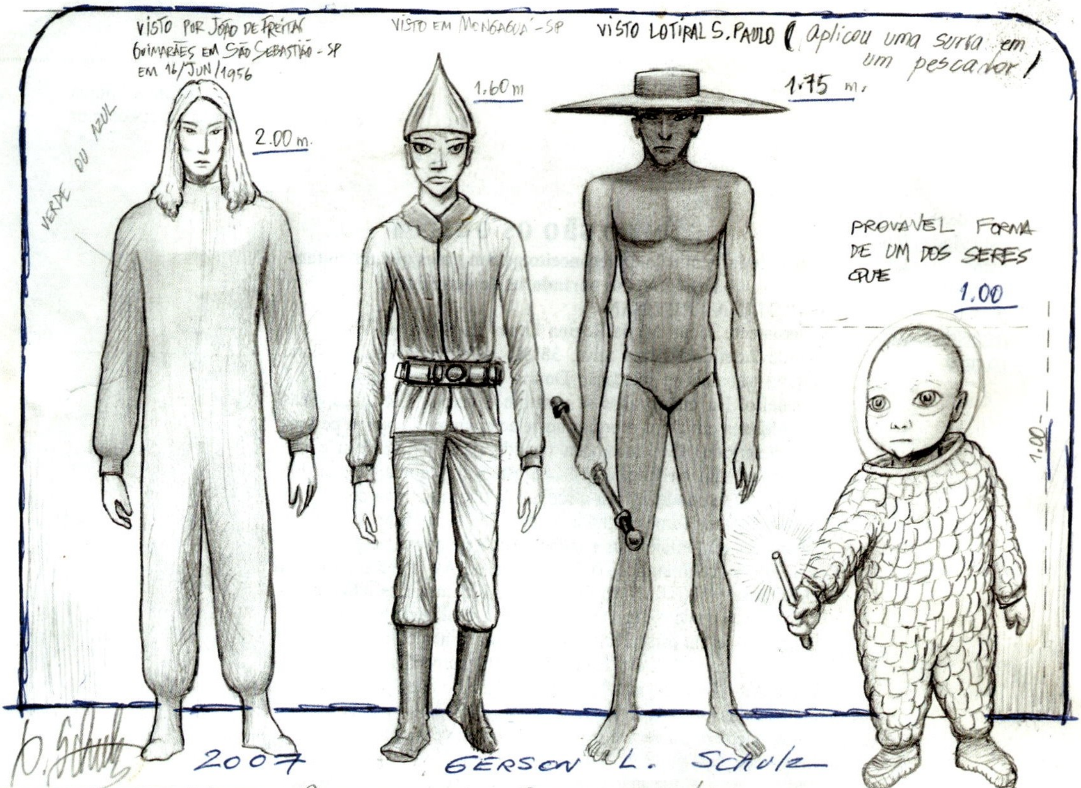

"Os seres humanos são visitados e pesquisados por diversas raças de seres de outros mundos e com os mais diferentes objetivos há milhares de anos, como se obedecessem à um comando superior, talvez divino; isto parece evidente quando lemos nas Escrituras Sagradas, em Atos dos Apóstolos, 2:19:

'E FAREI APARECER PRODÍGIOS EM CIMA, NO CÉU, E EMBAIXO, NA TERRA.'

Em muitos relatos de testemunhas que tiveram contato com estes seres, se tornam claros os objetivos científicos de suas atividades na Terra, sob a direção de um poder fantástico que nós é ainda desconhecido, de seres místicos que governam todas as regiões do universo."

Gerson L. Schulz
2005

VIAMÃO, BRA.
1958
Gerson L. Schulz

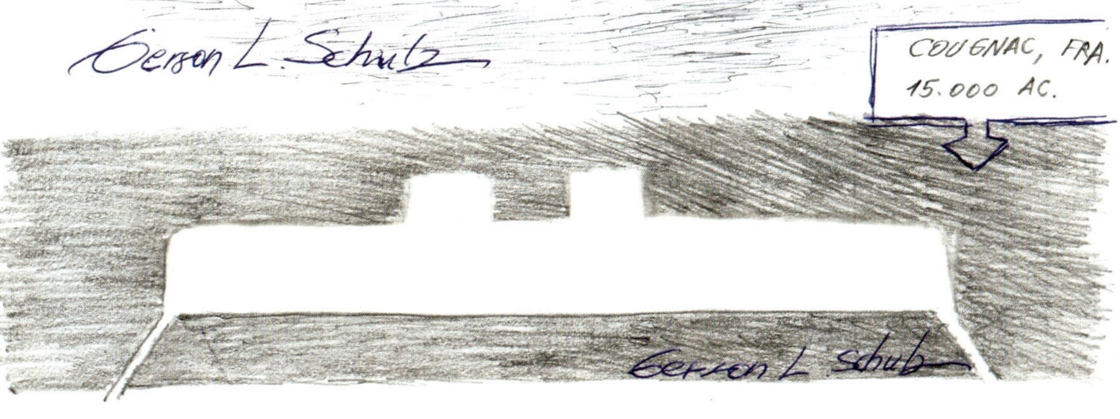
COUGNAC, FRA.
15.000 AC.
Gerson L. Schulz

Par Avion

Regina Silveira

Alexandre Barbosa de Souza (São Paulo, 1972) é tradutor (de Austen, Melville, Mansfield, Cheever), editor e autor de *Livro de poemas* (Giordano, 1992), *Viagem a Cuba* (Hedra, 1999), *XXX* (Uitgeverij de Dolle Hond, 2003), entre outros, reunidos em *Livro geral* (Companhia das Letras, no prelo, 2012).

Carlos Issa, paulistano, é músico, artista plástico e produtor de TV. Toca nas bandas Objeto Amarelo, Auto e Afasia e tem seu trabalho visual representado pela Galeria Logo. Também produz vinhetas e promos para a MTV e publicou em 2001 o livro de poemas *Estridor* pelo selo Draga.

Eduardo Jorge nasceu em Fortaleza, em 1978. Publicou *San Pedro* (2004), *Espaçaria* (Lumme Editor, 2007), *Caderno do estudante de luz* (Lumme Editor, 2008) e *Pá, pum* (em parceria com Lucila Vilela, 2012). Vive e trabalha em Belo Horizonte.

Eduardo Verderame, nasceu em São Paulo em 1971. É artista plástico, ilustrador e pesquisador, formado em Artes pela Universidade de São Paulo em 1996. Lançou o livro *Histórias de igrejas destruídas* pela Editora Hedra em 2010. http://everderame.wordpress.com/

Érica Zíngano nasceu em Fortaleza (CE) em 1980. Escreve, faz trabalhos em artes visuais e doutorado em literatura. Mora em Lisboa. Com Renata Huber e Roberta Ferraz, publicou o livro *fio, fenda, falésia* (Ed. das autoras, 2010), com apoio do Prêmio ProAc, da Secretaria de Cultura do Estado de São Paulo. Reuniu alguns dos seus trabalhos no site *1000 e 1 notas (genéricas)*: http://mileumanotas.wordpress.com/

Gerson Schulz é artista plástico e ilustrador.

Renato Pera (1984) é graduado em Artes Plásticas pela Universidade de São Paulo. Interessa-se pelo cruzamento de linguagens e disciplinas. Participa de projetos de residências artísticas e exposições no Brasil e no exterior. Seu trabalho integra as coleções do Município de Atibaia (SP) e do Museo Diego Rivera – Anahuacalli (Cidade do México).

Thereza Salazar é artista plástica. Nasceu em Uberlândia (MG) e mora em São Paulo. Participou de várias exposições no Brasil e no exterior. www.flickr.com/photos/therezasalazar

Memória Editorial

Em 1937, José de Barros Martins abriu na rua da Quitanda (centro de São Paulo) a Livraria Martins, dedicada à importação de livros franceses e americanos. Em 1939, ampliou seu âmbito de atuação para contemplar também a publicação de livros. Entre suas primeiras edições estavam a Biblioteca Histórica Brasileira e coleções de filosofia e literatura brasileira. A Martins publicou clássicos nacionais e obras de contemporâneos como Mário de Andrade, Sérgio Milliet, Guilherme de Almeida, Jorge Amado, Graciliano Ramos, Marques Rebelo, Lygia Fagundes Telles. Muitos dos livros traziam ilustrações de grandes artistas: Anita Malfatti, Tarsila do Amaral, Di Cavalcanti, Goeldi, Clóvis Graciano e Wasth Rodrigues. Para esta Memória Editorial, José Fernando Martins, filho do editor, evoca momentos cruciais da história da editora. O professor Antonio Candido relembra a amizade e importância da atuação editorial e cultural de José de Barros Martins.

Martins, editor da Pauliceia

JOSÉ FERNANDO DE BARROS MARTINS*

José de Barros Martins sempre foi um assíduo frequentador de bibliotecas, sebos e livrarias. Trazia entranhado o gosto pelas edições raras e bem ilustradas, pelas encadernações bem gravadas, pelas vinhetas, iluminuras e ilustrações, pelos frontispícios e pelos colofões. Animado por seus conhecimentos bibliográficos, em 5 de abril de 1937 pede demissão de sua confortável vida burocrática como funcionário do Banco do Brasil e instala, numa sobreloja da rua da Quitanda, uma pequena livraria, dedicada a exemplares raros e à importação de livros, principalmente franceses e ingleses.

Várias causas explicam a necessidade do surgimento de uma empresa editorial na cidade de São Paulo entre o final dos anos de 1930 e o começo dos anos de 1940. Afora o vazio deixado com o desaparecimento da Editora de Monteiro Lobato, registremos os seguintes fatos:

1 – Em 1933, um grupo de empresários funda a Escola Livre de Sociologia e Política (ELSP).
2 – Em 1934, no governo de Armando de Salles Oliveira, com a ação decisiva de Julio Mesquita Filho, cria-se a Universidade de São

* José Fernando de Barros Martins é bacharel em direito pela Universidade de São Paulo. Filho de José de Barros Martins, foi diretor-secretário da Livraria Martins Editora (1964-1982) e chefe de gabinete da Presidência da Fundação Padre Anchieta (1976-1983). Na TV Cultura, foi responsável pelas séries de programas *Teleconto*, *Teleromance*, *Videomagia* e *Contos da meia-noite*.

O editor José de Barros Martins.

Acervo pessoal José Fernando Martins

Paulo, que absorve a recém fundada Faculdade de Filosofia, Ciências e Letras.

3 – Diversos professores estrangeiros, com significativa bagagem cultural, aportam à capital dos paulistas. Mencionem-se, dentre outros, Claude Lévi-Strauss, Fernand Braudel, Roger Bastide, Donald Pierson, Pierre Monbeig e Herbert Baldus. O modelo sociológico norte-americano constitui o exemplo para a ELSP, en-

quanto os cânones acadêmicos franceses foram as principais fontes de inspiração para a USP.

4 – Em 1935, na prefeitura de Fábio da Silva Prado, um grupo de intelectuais ligados à Semana de Arte Moderna e ao jornal "O Estado de S. Paulo" (Alcântara Machado, Sergio Milliet e Paulo Duarte) organiza e implanta o Departamento de Cultura. À frente desse órgão pioneiro – que fomenta, resgata e registra a cultura brasileira – está Mário de Andrade.

Para que tenhamos uma referência do espírito efervescente e entusiasmado de nossa *intelligentsia* dos anos de 1930, transcrevamos apenas dois trechos da memorável oração de Mário de Andrade, professor e paraninfo, dirigida aos formandos do Conservatório Musical, em 1935:

> De uma proteção à cultura todos desconfiam porque ainda não se percebeu em nossa terra que a cultura é tão necessária como o pão, e que uma fome consolada jamais não equilibrou nenhum ser e nem felicitou qualquer país. (...)
>
> Quem quer que frequente os concertos públicos, se surpreende ante a verdadeira multidão de rapazes e garotas que desejam ouvir. Abre-se um curso de Etnografia e imediatamente se faz necessário desdobrar as aulas ante o número dos que exigem saber. Inaugura-se uma biblioteca infantil e numa semana os meninos se elevam a uma frequência de cem diários; joga-se nos jardins uma biblioteca circulante, e os operários que a buscam tornam-na insuficiente.[1]

A propósito, retomo as declarações de Claude Lévi-Strauss sobre o ambiente cultural na Pauliceia daqueles dias. Diz o autor de *Tristes trópicos*, em entrevista a Didier Éribon:

> A Universidade tinha sido criada pela alta burguesia, num momento em que ainda era muito forte a tensão entre o poder paulista e o governo federal. Foi para colocar a juventude paulista no nível de cultura europeia que esses aristocratas burgueses tinham decidido criar a Universidade.

1. ANDRADE, Mário de. *Aspectos da música brasileira*. São Paulo: Livraria Martins Editora, 1975.

(...) Os estudantes tinham um colossal apetite de saber. Num certo sentido, eles sabiam mais que nós, porque, como autodidatas, tinham lido tudo, devorado tudo, mas em livros de segunda ou terceira mão. Nossa tarefa não era tanto lhes ensinar coisas que eles ignorassem. Mas dar-lhes uma disciplina intelectual.[2]

E por fim (mas não por último) observemos que a Biblioteca Municipal, então na rua 7 de Abril, já exígua na época, teve sua nova, moderna e ampla sede idealizada pelo seu diretor, Rubens Borba de Moraes, e pelo arquiteto Jacques Pilon.

Como salienta Mário da Silva Brito, a Livraria Martins torna-se, então, verdadeiro clube de bibliófilos:

Frequentam-na expressivas figuras da sociedade, exigentes em seus hábitos intelectuais e artísticos: Antão de Morais, José Pinto Antunes, José Soares de Melo, Abraão Ribeiro, Abelardo Vergueiro César, Alexandre Marcondes Filho, Waldemar Ferreira, Silvio Portugal, Clovis Ribeiro, Silvio de Campos, Hernani Campos Seabra, Jorge da Cunha Bueno, Cyrillo Junior, Sebastião Soares de Faria, Eurico Sodré, para citar alguns poucos.[3]

Mas a Segunda Guerra Mundial, iniciada em setembro de 1939, vai comprometer a manutenção da recém-fundada livraria. É que as importações – vindas em quase sua totalidade da Europa – tornam-se impraticáveis. Isso provoca o surgimento da Livraria Martins Editora.

A editora inicialmente funciona na rua da Quitanda, depois na rua XV de Novembro e logo é transferida para a rua São Francisco, aquela ladeira (tão querida de Mário de Andrade) que vai da Libero Badaró à Praça da Bandeira, e a livraria permanece no rés-do-chão da rua XV de Novembro, no número 135.

José de Barros Martins vem para o plano editorial, de produção de livros, aposentando o antigo importador. Mas o faz fugindo dos padrões previsíveis. Renova e transgride o usual e o esperado pelo

2. Levi-Strauss, Claude; Éribon, Didier. *De près et de loin*. Paris: Odile Jacob, 2009. Trecho traduzido pelo autor deste artigo.
3. Brito, Mario da Silva. *Breve história de uma editora*. São Paulo: Livraria Martins Editora, 1967.

bom senso da época. Não irá apor seu selo numa ficção rotineira nem em ensaios acadêmicos recorrentes. Depois de mostrar-se um perspicaz observador dos novos tempos, publica *O Direito social brasileiro*, de A. Cesarino Junior, que trazia os fundamentos jurídicos do direito trabalhista, recém-implantado no Brasil. Em seguida, ousa lançar uma coleção totalmente fora dos padrões da época, tanto pela raridade do conteúdo como pelo requintado padrão gráfico: a notável Biblioteca Histórica Brasileira, lançada em 1939. José de Barros Martins assim comenta a coleção:

Capa do catálogo da coleção Biblioteca Histórica Brasileira, lançada em 1939.
Acervo pessoal José Fernando Martins

> É por demais conhecida a dificuldade que encontra quem, em nossa terra, deseja conhecer o nosso passado. A falta de bibliotecas dignas desse nome não permite pôr ao alcance do estudioso as principais fontes de nossa história. Aliás, a maioria delas constitui raridades bibliográficas disputadas a preço de ouro pelos colecionadores. Muitas tornaram-se tão raras que dificilmente aparecem à venda nos grandes mercados de Paris, Londres, Leipzig, Lisboa e Haia (...). Convencidos dessa realidade dolorosa, resolvemos pôr ao alcance do leitor, um certo número de livros capitais para o estudo das coisas do nosso passado. Entregando ao público a Biblioteca Histórica Brasileira tivemos em mente, antes de mais nada, prestar um serviço aos estudiosos da história brasileira. A nossa intenção foi e continuará a ser a de apresentar uma coleção de livros criteriosamente escolhidos, baseados no valor intelectual da obra, independente do interesse comercial.[4]

A primeira obra lançada nesta coleção foi a *Viagem pitoresca através do Brasil*, de Rugendas, ilustrada com 100 gravuras da edição original e mais 10 de coleções particulares. A respeito dessa publicação, diz Mário da Silva Brito:

> Lembro-me de que este livro produziu ao aparecer verdadeiro espanto nos meios intelectuais, principalmente os jovens, e entre editores e

4. Martins, José de Barros. Biblioteca Histórica Brasileira. In: *Catálogo Edições 1951*. Livraria Martins Editora.

livreiros e o grande público, que o adquiria impressionado com sua beleza gráfica e com a possibilidade – enfim – de ter acesso a obra tão célebre e tão cheia de informações.[5]

Seguiram-se edições, igualmente notáveis, todas em traduções perfeitas e integrais, cuidadosamente revistas, anotadas e prefaciadas, ilustradas com a reprodução exata e total das gravuras originais. Nesse rastro vieram mais obras de viajantes sobre nossa terra: Saint-Hilaire, Daniel P. Kidder, Jean-Baptiste Debret, Thomas Davatz, Charles Ribeyrolles, Jean de Léry, Carl Seidler, Joan Nieuhoff, John Luccock, Sisson, Carl von Koseritz e alguns mais.

Outra iniciativa inovadora foi a publicação da Biblioteca de Literatura Brasileira, com autores clássicos em suas obras mais representativas, em edições prefaciadas e ilustradas. Os estudos introdutórios eram de Mário de Andrade, Lucia Miguel Pereira, Afonso Arinos de Melo Franco, Antonio Candido, Sergio Milliet, Guilherme de Almeida, Alceu de Amoroso Lima e Edgard Cavalheiro. Entre os ilustradores estavam Di Cavalcanti, Tarsila do Amaral, Anita Malfatti, Guignard, Santa Rosa, Clóvis Graciano, J. Wasth Rodrigues, Maria Leontina e Manoel Martins. Uma feliz conjunção do melhor ensaio crítico com o melhor das artes plásticas.

Outra coleção a se destacar é a Mosaico. Sua proposta era a de recolher ensaios sobre assuntos brasileiros. Os exemplares eram impressos num formato elegante e recebiam tratamento gráfico discreto e apurado. Em um ano e meio (entre 1944 e 1945), o jovem editor conseguiu reunir obras inéditas de altíssimo gabarito, como *O Baile das quatro artes*, de Mário de Andrade, *Ponta de lança*, de Oswald de Andrade, *Brigada ligeira*, de Antonio Candido, *A poesia afro-brasileira*, de Roger Bastide, *Cobra de vidro*, de Sérgio Buarque de Holanda, *Prosa dos pagos*, de Augusto Meyer, e *Mar de sargaços*, de Afonso Arinos de Melo Franco.

Mencionemos também a Biblioteca do Pensamento Vivo. São 20 sínteses essenciais das obras e reflexões de pensadores, com estudos introdutórios explicativos, de um Rousseau (elaborado por Romain Rolland), de um Montaigne (elaborado por André Gide) de um

5. Brito, M. *Op. cit.*

Ciccillo Matarazzo, Sergio Buarque de Holanda, Luiz Martins, José de Barros Martins, João Accioli e Marcos Rebelo.

Acervo pessoal José Fernando Martins

Voltaire (elaborado por André Maurois), sem esquecer os volumes de Diogo Feijó, Tobias Barreto e Rui Barbosa que José de Barros Martins encomendou a especialistas brasileiros.

A Biblioteca de Ciências Sociais, dirigida por Donald Pierson, trazia obras de sociologia, estatística, antropologia, política e economia. Nela, vamos encontrar autores como Ralph Linton, R. M. MacIver, William Graham Summer, Robert Redfield, L. L. Thurstonne, entre muitos.

Por fim, nesta primeira fase da editora, não deixemos de registrar as coleções Excelsior e Excelsior-Gigante que compendiavam obras de grandes autores da literatura universal, tais como: Goethe, Dickens, Voltaire, Flaubert, Balzac, Knut Hamsun, Tolstói, Dostoiévski, Stendhal e Victor Hugo.

Essa empresa – com tantas coleções lançadas – tinha no departamento editorial Edgard Cavalheiro, que, mesmo retirando-se para a editora Globo, continuou fraterno amigo de José de Barros Martins até sua morte. Cavalheiro contribuiu para trazer para o catálogo da

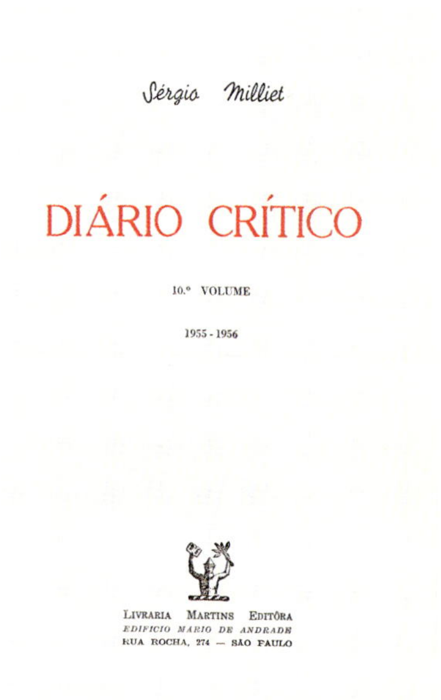

Diário crítico: 1955-1956, de Sérgio Milliet. São Paulo: Martins, 1959, 10º volume.
Acervo BMA

editora a obra de Mário de Andrade, que, a partir de 1941, foi exclusiva do selo Martins. O próprio Mário de Andrade organizou, nos três anos seguintes, todo o planejamento de publicação de sua obra, distribuída em 20 volumes. Infelizmente, sua morte prematura, em fevereiro de 45, impediu que visse a conclusão efetiva de suas "pensamentações" impressas em livros. Mário da Silva Brito substituiu Cavalheiro e comandou graficamente não só os primeiros volumes das obras completas de Mário de Andrade, como também a publicação do magnífico *Documentário arquitetônico*, de José Wasth Rodrigues, em dez fascículos ilustrados. Participou do lançamento do jovem poeta Paulo Bomfim, com *Antonio triste*, ilustrado por Tarsila, e da integração de Guilherme de Almeida ao grupo de editados, primeiro com *Poesia vária* e depois com *Toda poesia*, em sete volumes. E assistiu à aproximação progressiva de Sergio Milliet, que acabou sendo uma espécie de "coringa" da editora: traduz, organiza antologias, publica seu *Diário crítico*, palpita, ensina, sugere.

A livraria, de varejo, havia se transferido de endereço. Mudou-se para a rua Bráulio Gomes, no que era então "o outro lado do Viaduto do Chá". Posteriormente foi vendida ao jornalista Paulo Duarte.

Em 1949, José de Barros Martins, a convite do então Governador de São Paulo, Adhemar de Barros, assume o Departamento de Cultura da Prefeitura. Não nos esqueçamos que, até 1953, o Prefeito da Capital era nomeado pelo Governador. Subvertendo toda a ordem canônica da hierarquia oficial, José de Barros Martins responde quase que diretamente ao Gabinete do Governador, sem uma obediência estrita aos secretários de Educação e ao prefeito, a quem seu departamento estava subordinado. Realiza, então, uma radical mudança nas atividades desse órgão administrativo, resgatando os princípios que nortearam Mário de Andrade na sua criação. São conferências patrocinadas de Moysés Velinho, Alceu de Amoroso Lima, Érico Veríssimo, Eugênio Gomes, Augusto Meyer, Agripino Grieco, José Lins do Rego e muitos, muitos outros. São espetáculos teatrais, levados gratuitamente aos cinemas dos bairros (às segundas-feiras, quando as companhias teatrais folgavam), com Procópio Ferreira, Dulcina, Henriette Morineau. Promove também grandes concertos – ao ar livre – no Estádio do Pacaembu, com a menina-regente Gianella de Marco. Espetáculos gratuitos como o *Ballet des Champs-Elysées*, com Jean Babilé, no cine Braz Politeama. Nos bairros, ciclos de música com a Orquestra Municipal atuando inclusive sob a regência de Villa Lobos. Micro-bibliotecas são instaladas nos clubes da periferia que tivessem ao menos dez anos de existência. Sessões de cinema são realizadas nos bairros afastados, em praças públicas, e instituem-se prêmios de incentivo à dramaturgia brasileira.

História da arte, de Sheldon Cheney, tradução de Sérgio Milliet. São Paulo: Martins, 1953. Acervo BMA

Mas antes dessa atividade na administração pública, José de Barros Martins havia sofrido sua *saison en enfer*, desde 1938 na livraria e depois também na editora, até outubro de 1945, com os agentes da ditadura varejando seus escritórios e sua loja. Fiel a seus princípios de soldado da Revolução Constitucionalista de 32, sempre se recusou a colocar na parede o retrato do ditador que era coercitivamente imposto a toda loja comercial. Mas, principalmente, sua recusa era absoluta em publicar qualquer obra subvencionada pelo DIP (Departamento de Imprensa e Propaganda), "tão pródigo em benesses para editores que exalçavam as realizações do regímen ou a personalidade do ditador".[6] Essa oposição explícita ao Estado Novo é responsável, também, pela convergência que faz com que escritores de vários matizes ideológicos, mas todos adversários da ditadura, passem a publicar suas obras com o selo da Martins: Jorge Amado, Mário de Andrade, Monteiro Lobato, Brigadeiro Eduardo Gomes, Julio de Mesquita Filho, João Mangabeira, Cid Franco, Euclides Figueiredo e Guilherme de Almeida.

Duas publicações de vulto, nessa época, merecem citação: a *História universal* (1947), de Veit Valentin, em três volumes, e a *História da arte* (1953), de Sheldon Cheney, com tradução de Sergio Milliet, em quatro volumes ilustrados.

6. Brito, M. *Idem*.

da escola de bailados e dos parques infantis, dos tempos de Mário de Andrade no Departamento de Cultura, não havia uma só sala de aula municipal destinada ao currículo educativo. Foi, então, seu oficial de gabinete o estudante Carlos de Queiroz Telles, futuro autor editado pela Martins, na poesia e no teatro.

Em 1958, atendendo a uma solicitação subscrita pelos líderes de todas as bancadas com assento à Câmara dos Deputados, o presidente Juscelino Kubitschek confere-lhe a Ordem Nacional do Mérito, sendo a entrega solene realizada nos salões do Palácio do Catete. O governo francês lhe confere as *Palmes Académiques*, pela imensa contribuição da editora à difusão da cultura gaulesa (toda a obra de Guy de Maupassant, além das edições da *História da literatura francesa* de Albert Thibaudet, a edição dos viajantes franceses Debret, Sisson, Léry, Rybeirolles, o álbum ilustrado de L. Buvelot e A. Moreau, afora as edições de Flaubert, Balzac, Hugo, Merimée, Voltaire e outros tantos). Devido à monumental edição do *Decameron* de Boccaccio – com 101 pranchas coloridas de Gino Boccasile – o governo italiano concede-lhe o título de *Cavaliere Ufficiale*.

Mas um pioneirismo pouco conhecido da Livraria Martins Editora é o dos fascículos vendidos em banca de jornal. De fato, a partir de 1957 a Martins lança no mercado a publicação *Trópico: Enciclopédia ilustrada em cores*. Foram 100 fascículos, novidade absoluta para a época, distribuídos quinzenalmente em bancas de jornais. A cada dez fascículos era proporcionada ao comprador a possibilidade de encadernação, formando-se um volume. Pouco tempo depois, grandes empresas jornalísticas vulgarizariam, *ad nauseam*, essa modalidade de venda.

Em 1961, José de Barros Martins exerce a presidência da Câmara Brasileira do Livro (CBL). Além de promover a primeira entrega de prêmios Jabuti, abre um campo inédito à divulgação do livro. Amigo de Ciccilo Matarazzo, consegue convencê-lo a inserir na V Bienal de São Paulo um certame paralelo relativo ao livro e às artes gráficas. Nasce, assim, a Primeira Bienal do Livro e das Artes Gráficas.

> Num período em que os editores buscavam enriquecer graficamente seus lançamentos, refinando a diagramação, as capas e as ilustrações do texto, a ligação mais estreita com o mundo da arte projetava o livro para um patamar superior social e cultural (...) Repetido em 1963 e 1965, o

Martins e Edgar Cavalheiro na Editora.
Acervo pessoal José Fernando Martins

evento possibilitou o aprendizado e a experiência para as realizações das futuras bienais internacionais do livro de São Paulo, a partir de 1970.[8]

Nessa primeira Bienal, inaugurada pelo presidente João Goulart, a Editora Martins é premiada em três das cinco categorias propostas. Nesse mesmo ano, os herdeiros de Graciliano Ramos transferem para a Martins o direito de publicação de todas as suas obras. Novamente Clóvis Graciano é incumbido de desenhar as capas para os onze volumes.

O fato é que nos anos de 1960 a Martins apresentava um exuberante catálogo, com exclusividade sobre escritores brasileiros de altíssimo nível. Além de Mário de Andrade, Jorge Amado, Graciliano Ramos, Sergio Milliet, Guilherme de Almeida, Aluísio Azevedo e Menotti del Picchia, estavam também no catálogo da Martins: Lygia Fagundes Telles, Paulo Bomfim, Josué Montello, Marques Rebelo, José Geraldo Vieira e Maria de Lourdes Teixeira. Fora as obras desses autores, a editora publicou livros avulsos da maior relevância, como a alentada obra-prima *Formação da literatura brasileira*, de Antonio Candido, e o tratado de *Medicina legal*, de Flamínio Fávero.

8. *Câmara Brasileira do Livro: 50 Anos*; coordenação geral Célia Assis. São Paulo: CBL, 1997.

Os escritórios da Martins, tanto na ladeira São Francisco como na rua Rocha, sempre foram um centro de vida inteligente. Era Galeão Coutinho com suas tonitruantes risadas que repercutiam por todos os andares do prédio. Era Monteiro Lobato aconselhando o jovem editor, não sem uma ponta de crueldade e sarcasmo para com os autores principiantes. Era Joracy Camargo contando suas aventuras europeias. Era Oswald de Andrade rotulando um desafeto literário de "Rasputin da linha justa" e chamando, carinhosamente, José de Barros Martins de "*gauleiter*". Era Sergio Milliet cantando sua versão cabocla de "*Chevaliers de la table ronde*". Era Mauricio Goulart falando da Revolução de 30. Era Durval Marcondes expondo o freudismo em casos descabelados. Era a descrição erudita de Péricles Eugênio da Silva Ramos sobre a poesia de Elliot. Era Fernando Góes – baiano paulistaníssimo – louvando a obra de Antônio de Alcântara Machado. Era Guilherme Figueiredo com suas *boutades* definitivas e demolidoras. Era Guilherme de Almeida, com seu implacável monóculo definindo o matiz exato do zarcão a ser usado na capa de seu próximo livro. Era Menotti del Picchia narrando suas venturas e desventuras com a liderança feminina do PTB. Era Paulo Emílio ou Almeida Salles, falando da obra de Bazin ou de Sadoul. Era Soares de Melo explicitando suas árduas pesquisas sobre a Marselhesa, trabalho nunca concluído. Era Dácio Arruda Campos mostrando que erudição jurídica e bom humor não são excludentes. Era o general Euryale de Jesus Zerbini, a expor a perfeição de Stendhal ao descrever a batalha de Waterloo em *A Cartuxa de Parma*. Era Oscar Pedroso d'Horta, mostrando o conflito quase dialético, na obra de Kafka – especialmente em *O processo* – entre o direito e a justiça. Era Érico Veríssimo, recém-chegado de Porto Alegre, para matar saudades. Era Aureliano Leite, do alto de mais de um metro e oitenta, relembrando seus tempos de *goal-keeper*. Era Camargo Guarnieri para saber quando sairiam do prelo as "Modinhas imperiais", recolhidas por Mário de Andrade. Era Paulo Bomfim trazendo, pela mão, "o deus da chuva e da morte": o ainda desconhecido Jorge Mautner. Era Antonio Candido, imitando com uma precisão mimética surpreendente alguns catedráticos do Largo de S. Francisco. Eram os fidalgos Lucia Miguel Pereira e Octávio Tarquínio de Sousa, que nunca vinham a São Paulo sem visitarem o casal José de Barros Martins, no escritório e na residência.

Como vimos, a Martins foi um espaço que funcionou como um microcosmo da inteligência e da cultura daquele momento. E que não se limitou nunca a seus editados. Ambiente de cordialidade e simpatia humanas galvanizado pela figura carismática de José de Barros Martins. Um dos últimos *causeurs* a unir bom humor, erudição, memória e uma cintilante criatividade. Um homem cativante, generoso, galante e educado, modelo cuja forma parece ter-se quebrado. Como dizia Ênio Silveira, era "o príncipe dos editores brasileiros".

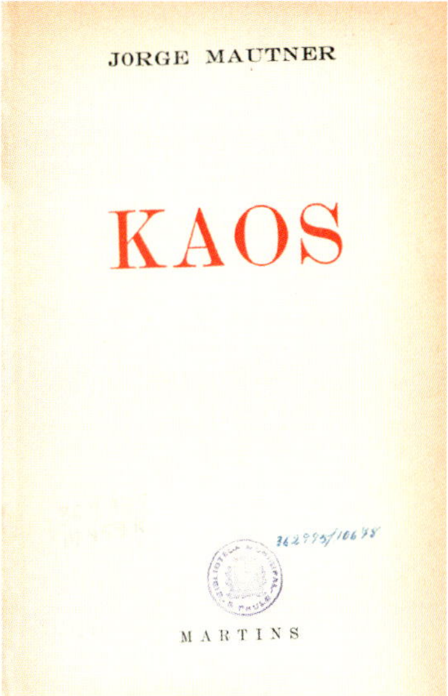

Kaos, de Jorge Mautner. São Paulo: Martins, 1963.

Mas Martins não circunscrevia apenas à Editora seu relacionamento com os intelectuais. As reuniões e festas aconteciam com certa regularidade na casa da rua Abílio Soares. Ali, sempre regadas a um honesto uísque e amparadas pelas delícias culinárias que Edith Martins fazia questão de apresentar, as noitadas boêmias eram frequentes e famosas, não só nas colunas dos cronistas da época, mas também nas reclamações dos vizinhos, exaustos pelas cantorias que se estendiam pelo alvorecer. Eram memoráveis reuniões muitas vezes mesmerizadas por músicos do porte de um Dorival Caymmi – cuja obra *Cancioneiro da Bahia* teve três edições com o selo Martins – Aracy de Almeida, Almirante, Pixinguinha, Jacó do Bandolim, Silvio Caldas, Luis Vieira e outros, que compartilhavam a amizade e o afeto do editor paulista.

Habitués dessas recepções eram Aparecida e Paulo Mendes de Almeida, Anna Maria e Luis Martins, Maria Amélia e Sergio Buarque de Holanda, Ciccilo Matarazzo, Diná e Luiz Lopes Coelho, Pedro Oliveira Ribeiro Neto, Sergio Milliet, Baby e Guilherme de Almeida, Helena Silveira e Jamil Almansur Haddad, Mariana e Hernani Campos Seabra, Ligia Junqueira e Renato Caiuby.

Ao fim e ao cabo, José de Barros Martins desfilava, de improviso, uma série imensa de modinhas e sambas antigos. Seu sonho era escrever uma história política do Brasil através da música popular. Outras vezes cantava tangos da mais nobre procedência, revivendo a época dourada de Gardel, Alberto Marino e Charlo.

Mudou o Natal e mudei eu – novos tempos tragaram, na sua voragem, aquele *statu quo*. As editoras da época, com seus métodos de trabalho na industrialização e comercialização do livro foram devoradas pela nova realidade do mercado. A Livraria Martins Editora, pressionada por problemas financeiros, foi, progressivamente, desativando suas atividades até cessá-las definitivamente em 1982, com a publicação dos dez volumes do *Diário crítico* de Sergio Milliet.

A Editora José Olympio passou às mãos do BNDES, daí para a Xerox do Brasil e finalmente para a Record. A Editora Civilização Brasileira transferiu seu controle à Bertrand, e Ênio Silveira, em 1992 proclamava: "Não importa que eu seja hoje, de uma empresa que foi minha, um mero assessor".[9] Depois ela e a própria Bertrand do Brasil foram incorporadas à Record. A Editora do Globo, da família Bertaso, teve vendido o controle da empresa para o grupo de Roberto Marinho. A família Guinle mudou o controle de sua editora, a Agir, para o conglomerado Ediouro. A Brasiliense, após lutas inglórias com seus autores, resolveu extinguir-se. A Editora Nacional também foi adquirida pelo BNDES e acabou em mãos de um conhecido editor de livros didáticos. A Editora das Américas cessou suas atividades. A Vecchi e a LEP também ficaram silentes. A Nova Fronteira – o último rebento dessa época – saiu das mãos da família Lacerda e foi apropriada pelo grupo Ediouro.

No campo das tradicionais livrarias paulistanas, desapareceram a Livraria Teixeira, a Jaraguá, a Brasiliense, a Freitas Bastos, a Livraria Guatapará, a Livraria Francisco Alves, a Entrelivros, a Livraria Siciliano, a Kosmos e a Parthenon.

As quatro grandes gráficas que imprimiam as tiragens da Martins também cerraram suas portas: a Empresa Gráfica da Revista dos Tribunais, a maior delas, além das Artes Gráficas Bizordi, da Indústria Gráfica Siqueira e da Gráfica Urupês.

Como diria Marcel Proust, se o tempo é o grande senhor da história, que destrói reinos, impérios e civilizações, por que não sopraria, nos seus indevassáveis desígnios, este pequeno castelo de areia erguido com idealismo, amor e persistência?

9. *Ênio Silveira*; organizado por Jerusa Pires Ferreira. São Paulo: Com-Arte; Edusp, 1992 (Editando o editor, v. 3).

Um editor paulista (memórias)

ANTONIO CANDIDO*

Conheci José de Barros Martins em 1939, quando estava no 1º ano da Universidade de São Paulo e ele começava a atividade de editor. Um colega meu, já maduro, apresentou como trabalho de semestre uma volumosa dissertação que o nosso professor de filosofia gabou muito e sugeriu que fosse publicada. Eu disse ao colega que deveria procurar um editor, mas ele não conhecia nenhum e eu, num rompante imprudente de boa vontade, me propus ajudá-lo. Com o trabalho na mão fiquei sem saber o que fazer, amaldiçoando o impulso. Lembrei então de ter ouvido alusões a certo moço que fundara uma pequena editora, interessado em publicar gente nova e dar realce à produção local. Era Martins, instalado modestamente na sala de um prédio da Rua da Quitanda, perto da Praça do Patriarca. Com a cara e a coragem fui lá de texto em punho e ele, depois de dar uma olhada, explicou amavelmente que o assunto não cabia no seu projeto e eu considerei a missão cumprida.

Em janeiro de 1943 comecei a exercer a crítica semanal na *Folha da Manhã* e a participar um pouco da vida intelectual, estabelecendo inclusive relações cordiais com Martins. Já consolidado como editor, tinha novo escritório na Rua de São Francisco, perto da Faculdade

* Antonio Candido de Mello e Souza é crítico literário e professor aposentado do Departamento de Teoria Literária e Literatura Comparada da Universidade de São Paulo, autor de *Formação da literatura brasileira:* momentos decisivos, *Literatura e sociedade*, *A educação pela noite* e *O discurso e a cidade*, entre outras obras.

José de Barros Martins com retrato de Mário de Andrade ao fundo. A Martins editou as obras completas de Mário.

Acervo pessoal José Fernando Martins

de Direito, onde se havia bacharelado. Certo dia, em 1944, encontrei lá Sérgio Buarque de Holanda autografando exemplares do seu livro *Cobra de vidro*, editado na bonita Coleção Mosaico, ideada por Martins. No ano seguinte me inscrevi para um concurso de Literatura Brasileira na Faculdade de Filosofia da USP e este sugeriu que eu reunisse alguns artigos do meu rodapé semanal para formar um volume da mesma coleção, pois sendo muito moço e sem bagagem, isto encorparia o currículo. Assim foi que apareceu em 1945 o meu primeiro livro, *Brigada ligeira*. Também em 1944 encontrei mais de uma vez Mário de Andrade no escritório de Martins, que, depois de ter publicado em 1941 a primeira reunião das *Poesias*, estava começando a editar toda a sua obra.

Mário morreu em fevereiro de 1945 e na altura de agosto ou setembro Martins me chamou, contando que o tinha convidado a escrever uma história da literatura brasileira com linguagem simples, sem citações nem aparato bibliográfico, inspirada na de Thibaudet sobre a literatura francesa, cuja tradução publicou. Mário não aceitou o convite e sugeriu que o encargo fosse dado a mim. Martins ficou de pensar, deixou correr algum tempo e me convidou, propondo pagar um tanto por mês durante dois anos, no fim dos quais eu entregaria o livro. Não me considerava habilitado para a tarefa nem tinha vontade de assumi-la, mas o atrativo das mensalidades me levou a aceitar, dada a minha situação financeira.

Mal podia imaginar que estava me atrelando a uma empreitada que levaria mais de doze anos para ser cumprida e redundaria em algo completamente diverso. De fato, tempos depois de começar o trabalho, aceito a contragosto, me apeguei a ele ao imaginá-lo construído segundo outro projeto: investigar como e quando a produção literária do Brasil fora se avolumando e sobretudo se articulando, de maneira a ser atividade orgânica e tornar-se uma das instituições regulares da cultura, não um ralo pipocar de textos, algumas vezes de grande valor. Isso poderia, inclusive, ser uma tentativa de conciliar a dimensão histórico-social com a análise literária, problema que me preocupava.

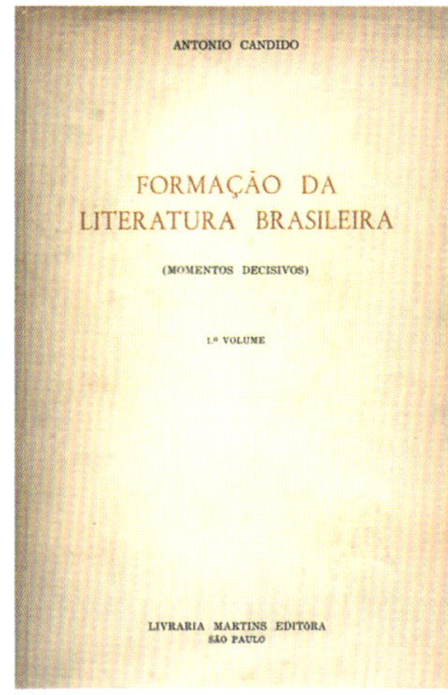

Formação da literatura brasileira, de Antonio Candido. São Paulo: Martins, 1959.
Acervo BMA

Tolerante e compreensivo, Martins aceitou o que era de fato uma violação de contrato e teve paciência de esperar anos a fio pela realização do novo plano. Só uma vez escreveu lembrando os adiantamentos e perguntando quando eu pensava em entregar o livro, que afinal terminei. Talvez por querer ficar mais perto do compromisso inicial, não tive o bom senso de denominá-lo adequadamente, o que daria algo como: *Arcádia e Romantismo:* momentos decisivos na formação do sistema literário brasileiro. Mas bem mais tarde verifiquei em conversa que o editor não teria aceitado esta alternativa, cujo ar de monografia universitária afastaria certamente os leitores. O título que lhe dei, *Formação da literatura brasileira*, confunde muitos até hoje, apesar do subtítulo restritivo: *momentos decisivos*. Habituados à visão tradicional, me censuram por ter, segundo dizem, escrito uma história incompleta, excluindo autores importantes.

Entreguei o primeiro volume em 1956 e o segundo em 1957, mas aí deu-se um fato curioso: apesar do atraso o livro não foi impresso, porque naquela altura Martins tinha lançado *Gabriela, cravo e canela*, de Jorge Amado, cujo êxito foi tal que não sobrava papel para mais nada... Eu era desde 1958 professor de Literatura Brasileira na Faculdade de Assis e devia voltar à USP para reger a nova disciplina de Teoria Literária, sendo conveniente apresentar um bom trunfo, como seria o livro. Expliquei o caso a Martins e ele então o tirou em pouco tempo, no fim de 1959.

* * *

Bem apessoado e muito inteligente, era uma companhia encantadora. Jovial, espirituoso, comunicativo, grande cantor de tangos, foi desses que colorem o ambiente. Prosperou muito e acabou instalando a editora num prédio na Rua Rocha, na Bela Vista, cujas salas eram ornadas com painéis de temas paulistas que encomendou a Tarsila do Amaral, Clovis Graciano e um terceiro pintor de cujo nome não me lembro. A Clovis pediu também capas que modificaram o aspecto do livro em São Paulo.

Ganhando prestígio no meio intelectual, construiu uma empresa de qualidade, com um dos catálogos de maior importância no movimento editorial brasileiro. Publicou em vinte volumes a obra de Mário de Andrade; foi editor de Graciliano Ramos, Jorge Amado, José Geraldo Vieira; criou coleções notáveis, como a Biblioteca Histórica Brasileira, a Biblioteca Histórica Paulista, a Biblioteca de Literatura Brasileira; lançou *Formação do Brasil contemporâneo*, de Caio Prado Júnior; abriu espaço para autores novos de São Paulo, como Helena Silveira, Lygia Fagundes Telles, Décio de Almeida Prado, Edgard Cavalheiro, Mário da Silva Brito, Mario Neme, Paulo Bomfim, sem esquecer que confiou a um principiante como eu a tarefa de elaborar um livro de responsabilidade.

Depois que encerrou a carreira, foi caindo no esquecimento, o que é muito injusto. Mais de uma vez tentei convencer jornalistas que conhecia a organizarem sobre ele um número especial, ou pelo menos uma página de suplemento, para que as novas gerações pudessem ter notícia de um notável promotor de cultura, mas não fui ouvido. Arrastada pela transformação rápida, às vezes São Paulo devora até a lembrança de seus filhos, mesmo os de grande mérito. Por isso, é bem-vinda a atenção que lhe dá agora a *Revista da Biblioteca Mário de Andrade*, inclusive porque ele foi Diretor do Departamento Municipal de Cultura.

* * *

A sua atuação no campo da sociabilidade literária foi marcante. Ao lado de sua senhora, Edite, recebia com frequência e largueza na casa da rua Abílio Soares, onde fui muitas vezes. Lá encontrei gente interessante e ouvi coisas curiosas. Por exemplo: certa vez Guilherme de Almeida contou magoado que era mal visto no Brasil inteiro devido

Oswald de Andrade, José Antônio de Barros Martins, José Lins do Rego, Antonio Candido e Mario Neme, na casa de José de Barros Martins, em1954.
Acervo pessoal José Fernando Martins

à falsa acusação de ter queimado a bandeira nacional durante a Revolução Constitucionalista de 1932, coisa que nunca lhe passara pela cabeça. Mas, comentou, depois que uma calúnia deita raízes é impossível desfazê-la. Em outra noite, muito divertida, Marques Rebelo e eu improvisamos uma espécie de balé, que José Geraldo Vieira qualificou de "existencialista" em sua crônica semanal...

Em 1954 houve um Congresso Paulista de Escritores, no quadro das comemorações do IV Centenário da Cidade, durante o qual o casal Martins deu uma recepção. Oswald de Andrade, já muito combalido (morreu pouco depois), foi ao congresso e à recepção, com a sua paixão pelo convívio literário. Há uma fotografia na qual aparecem ele, em primeiro plano, meio de lado e, num sofá formando ângulo com a sua cadeira, o menino José Antonio, filho dos anfitriões, José Lins do Rego, Mário Neme e eu, risonhos, de certo porque Oswald soltara uma das dele. O engraçado é que ele havia publicado, em momentos diversos, tiradas contundentes e divertidas contra cada um de nós três, que no entanto ali estávamos cordialmente sensíveis à sua verve.

Estes exemplos servem para registrar que Martins deve ter sido o único editor daquele tempo em São Paulo a ter cultivado uma certa sociabilidade literária, graças a sua cordialidade e a seu temperamento acolhedor. Haveria mais coisa para contar, mas basta esta amostra.

Bibliografias

A biografia é um gênero híbrido, que combina a pesquisa histórica e jornalística à técnica narrativa de inspiração literária. As histórias de vida costumam retratar pessoas de grande projeção pública, contemplando personagens de destaque em áreas como política, diplomacia, economia, religião, cultura e esporte. No Brasil, a tradição é antiga, ainda que não tão profícua quanto em outros países, e ganhou fôlego recente, marcando a tradição da literatura e o panorama do livro no Brasil. Nas próximas páginas, a professora e crítica literária Walnice Nogueira Galvão apresenta um apanhado de livros incontornáveis nesta área, apresentando obras que desde o século XIX até hoje constituem o cerne da pesquisa biográfica e do biografismo brasileiro.

A biografia e o novo biografismo

WALNICE NOGUEIRA GALVÃO*

Uma novidade editorial é a extraordinária voga do biografismo nacional, setor em recente expansão. Acumulam-se os títulos, os autores e as editoras que abrem coleções especializadas. Nem sempre foi assim. O país só conheceu um surto editorial de biografismo comparável entre 1940 e 1950. Porém com uma diferença crucial: eram traduções e não, como agora, trabalhos originais aqui produzidos com temática local.

Quatro autores europeus, todos nascidos na década de 1880 e falecidos nos anos 1940 (só o francês sobreviveu por 20 anos e por isso produziu ainda mais) destacam-se nesse surto anterior: um austríaco, um alemão, um holandês naturalizado norte-americano e um francês. Foi a época da voga brasileira de Stefan Zweig, Emil Ludwig, Hendrik Willem van Loon e André Maurois, os quatro embarcando na conjuntura favorável a uma linha de divulgação de bom nível. Seus livros tornaram-se *best-sellers* internacionais. Biografavam de Bismarck a Cristo, de Maomé a Maria Antonieta. Numa dessas empreitadas, Zweig cometeu a imprudência de retratar um vivo, Freud,

* Walnice Nogueira Galvão é Professora Emérita de teoria literária na USP e autora de *Sombras e sons*, *A donzela-guerreira*, *Mínima mímica:* ensaios sobre Guimarães Rosa e *Euclidiana:* ensaios sobre Euclides da Cunha, entre outros livros. Esta matéria é uma adaptação revista e atualizada do artigo "A voga do biografismo nativo", publicado na revista *Estudos Avançados*, São Paulo, v.19, n.55, set/dez 2005, que se tornou também capítulo do livro *As musas sob assédio:* literatura e indústria cultural no Brasil.

que repudiou a biografia. Entretanto, embora açambarcassem nosso público leitor, tinham um defeito de origem, comum a todas: *nenhuma* focalizava um brasileiro.

ALGUNS PRECURSORES

As biografias eram raras em nosso passado, mas algumas existiram, e com protagonistas nativos. No ramo, destacaram-se dois jornalistas, que escreveram algumas bastante provocadoras, dentre as quais sobressaem as literárias: Raymundo Magalhães Júnior e Elói Pontes.

Também tivemos trabalhos mais propriamente de historiadores, como Pedro Calmon e Luiz Vianna Filho (sem esquecer o excelente *Dom João VI no Brazil* (1908), de Oliveira Lima). Ambos ativeram-se de preferência a vultos da política, e eventualmente a escritores. Popularidade fora do comum de uma só biografia do mesmo autor, graças ao cunho escandaloso do assunto, teve *A Marqueza de Santos* (1923), de Paulo Setúbal.

Sobre todas essas paira como um protótipo a mais famosa biografia brasileira, aquela que Joaquim Nabuco dedicou a seu pai, *Um estadista do Império* (1897-1899), provavelmente o ideal inalcançável de quem se aventure no gênero.

O NOVO BIOGRAFISMO

O novo biografismo é uma tendência que surge com intensidade, em voga internacional – e que Philippe Lejeune, incluindo-o no âmbito do autobiografismo, tanto tem estudado. Entre nós, seus passos iniciais residem no resgate da saga da esquerda, duramente reprimida pela ditadura militar que se implantou por golpe em 1964. Surge nos anos 1970, quando dominavam a cena o romance-reportagem (José Louzeiro, Percival de Souza) e o memorialismo (Pedro Nava), gêneros que, ambos, imprimirão traços no novo biografismo.

Se Pedro Nava representa o memorialismo dos velhos, o que é normal, em contraposição eleva-se outro padrão, o memorialismo dos muito jovens, que na primeira mocidade já têm experiências terríveis para contar, devido às voltas da história e à instalação do terror de Estado pela ditadura.

Dessas "autobiografias precoces", a primeira a surgir, e que permaneceu como uma espécie de carro-chefe, é *O que é isso, companheiro?* (1979), de Fernando Gabeira. O filão daria muitos frutos, e dá até hoje, quando guerrilheiros que não escreveram, então, escrevem agora.

Peças decisivas nesse xadrez seriam *Olga* (1985), de Fernando Morais, e *Iara* (1991), de Judith Lieblich Patarra. A primeira narra a tragédia da esposa de Luis Carlos Prestes, judia, comunista e grávida, entregue por Vargas aos nazistas. A segunda traça o retrato de uma geração, à qual pertenceu a guerrilheira Iara Iavelberg na Faculdade de Filosofia da rua Maria Antonia, no centro de São Paulo.

O compositor Noel Rosa, patriarca do samba.
Caricatura: Dorinho

Posteriormente, o biografismo se ramificaria em várias direções.

Percival de Souza, especialista em romance-reportagem, contribuiria para a saga da esquerda, ao ousar lançar um olhar para o turvo lado de lá, nas biografias do Cabo Anselmo e do delegado Fleury.

Nas ramificações posteriores, o próprio Fernando Morais se dedicaria a radiografar a complexa personalidade daquele que foi um reputado empresário da imprensa, Assis Chateaubriand, em *Chatô: o rei do Brasil* (1994), sempre às voltas com negociações escusas e um dos mais poderosos homens de seu tempo, a quem todos, até presidentes da República, temiam. E muitos outros.

Paralelamente, passando por fora da saga da esquerda, Alberto Dines escreveria três: *Morte no paraíso* (1981), sobre Stephan Zweig; *O baú de Abravanel* (1990), sobre o apresentador de TV Silvio Santos; e *Vínculos de fogo* (1992), sobre Antonio José, o Judeu, o primeiro dramaturgo brasileiro, que pereceria nas fogueiras da Inquisição, em Portugal.

Dentre as várias obras de Ruy Castro, sobressai *O anjo pornográfico* (1992), sobre a vida de nosso mais controverso dramaturgo, Nelson Rodrigues, de obra escandalosa, pessoalmente desbocado e sempre citado pelas fórmulas de impacto que divulgava em suas matérias jornalísticas, pelas posições direitistas e pela vida cheia de peripécias. Segue-se a biografia do jogador de futebol Garrincha, intitulada *Estrela solitária* (1995): um gênio em seu esporte, cuja conduta ingênua, isenta de uso do mundo, deu origem a toda uma saga de anedotas. A suas pernas de subnutrido, tortas e defeituosas graças à fome que passou na infância, se atribuíam os milagres que operava em campo. E, da mesma pena, muitas outras biografias se seguiriam.

A cantora Carmen Miranda, recentemente biografada por Ruy Castro.
Caricatura: Dorinho

PANORAMA E PERSPECTIVAS

Essas narrativas não se transformam propriamente em ficção, mantendo antes uma voz neutra e objetiva, mais próxima do jornalismo, não escondendo seu parentesco com a crônica.

Acrescente-se que tais livros são bem menos sisudos que as biografias oficiais, em geral panegíricas, ou as teses. Descartam certa solenidade, típica do gênero; em contrapartida, por vezes acolhem versões fantasiosas, pouco comprováveis. Mas o fato de seus autores serem jornalistas, mestres de uma escrita fluente e vivaz, sem dificuldades de leitura, além de incorporarem técnicas ficcionais como o monólogo interior ou o *flashback*, ou ainda a reconstituição puramente imaginária de diálogos, torna indistintas as fronteiras entre os dois domínios.

O êxito de mercado e as altas tiragens que tais livros alcançam obrigam à cogitação de que seu condão possa se beneficiar de ainda outro ingrediente ficcional. De fato, parece ter migrado para o biografismo aquilo que tornava atraente o romance, ao privilegiar um herói e os anos de sua formação, e que acabou por desaparecer quando as vanguardas tenderam a eliminar o enredo. Dessa maneira, a ficção abria as comportas para a vivência vicária, preenchendo funções psicológicas e sociais de relevância, cujas virtualidades poderiam ter-se refugiado hoje nas modalidades biográficas. Enquanto isso, nos catálogos das editoras aumenta sem cessar o número de biografias.

O fato de que, descoberta recente em nosso país, sejam há tempos uma mina de ouro nos Estados Unidos, só comprova que o fenômeno está ligado à sociedade do espetáculo e ao culto à celebridade, que caracterizam a contemporaneidade. Completa o quadro o voyeurismo dos leitores, correlato do exibicionismo narcisista do que leem: nem é de admirar a consequente inflação do ego e a intrusão do privado no público.

Neste rápido levantamento vale repetir as constantes, ou seja, que os autores são jornalistas profissionais e que se tratou inicialmente de um resgate da saga da esquerda, amordaçada pela ditadura. Entretanto, a própria dinâmica do mercado já deu origem a uma linha diversificada de subprodutos, privilegiando empresários, políticos, esportistas, *socialites*, ou temas parabiográficos pitorescos, amiúde feitos apressadamente e sem a verve que caracteriza o novo biografismo.

As editoras farejaram o maná, e, uma após outra, apressam-se a encetar a produção de coleções de biografias em livrinhos de baixo custo, entre elas a Perfis do Rio, da Relume Dumará, com 50 títulos. A Imprensa Oficial entrou na liça com a coleção Aplauso, que publicou mais de 200 volumes dedicados às vidas de nossos artistas de cinema, teatro, rádio e televisão, em textos inéditos.

Ao longo do percurso muita coisa foi mudando e outras constantes há, sobretudo no que concerne à escolha dos objetos. Em primeiro lugar, e disparado, confirma-se a posição fora do comum que a música popular ocupa na vida dos brasileiros: a maior frequência é de figuras ligadas a essa área. Em segundo lugar, os holofotes iluminam a cena política. Em terceiro lugar, estão os próprios jornalistas, donos do gênero, e só depois personalidades de palco ou tela. Constituem exceções as biografias de alguém menos bafejado pela mídia e fora desses grupos, como um grande escritor, romancista ou poeta.

É de notar que o novo biografismo, mais do que o romance, constitui uma fonte para o cinema e a televisão que ainda está longe de se esgotar, em adaptações para filmes de ficção, documentários, docudramas e séries televisivas, alimentando outros circuitos da indústria cultural.

BIOGRAFIAS LITERÁRIAS

As biografias literárias situam-se num patamar mais erudito. Embora os franceses tenham nesse campo uma tradição de respeito, é bom lembrar a magnífica linhagem anglo-saxã. Richard Ellman dedicou

a James Joyce uma que é modelar, pela minúcia, pelo cunho exaustivo, pela frequentação pessoal do autor com o biografado, pela edição da correspondência por ele preparada, por privar por trinta anos da amizade de Joyce e colecionar seus papéis – e só aí dar por definitiva a biografia. O mesmo autor já fizera outra, muito boa também, de Oscar Wilde. Entre os americanos, Jeffrey Meyers escreveu várias (de Scott Fitzgerald, Joseph Conrad, Edgard Allan Poe, Katherine Mansfield, Hemingway, Robert Lowell, D. H. Lawrence etc.), além de qualificar-se para escrever, como de fato o fez, três manuais para passar adiante a perícia que adquiriu na prática. São de bom nível – surpreendentes até, por provirem de uma tal linha de produção –, mostrando uma acuidade de pesquisa impressionante, dirigida não só aos papéis do biografado, mas também aos de seus amigos, à correspondência e aos diários do grupo geracional.

O escritor francês Marcel Proust, autor de *Em busca do tempo perdido*. Caricatura: Dorinho

Sem desmerecer a mais recente biografia de Proust, de Jean-Yves Tadié, cuja autoridade como realizador da nova edição crítica da Pléiade ninguém discute, é bom lembrar que a primeira e admirável biografia (1959-1965) do autor foi assinada por um inglês, George Painter. Seria de conjecturar se uma grande biografia depende de haver muitas outras antes, assim como decorreria da acumulação de um acervo especializado. Sem mencionar a tradição de pesquisa de arquivo, da preservação de originais, de rascunhos, de apontamentos, que a nova disciplina da crítica genética viria a privilegiar.

Rara e esporádica entre nós, certamente a biografia literária não é uma especialidade que figure entre as favoritas. Nem dá azo a *best-sellers* sensacionalistas, como é óbvio: basta refletir sobre suas características, esmiuçadas logo acima.

Notamos, todavia, certas preferências no que diz respeito aos biografados. Alguns deles atraem a maioria dos trabalhos, de que os campeões são, desde sempre, Machado de Assis e Euclides da Cunha. Quanto aos demais, embora bem menos contemplados, observa-se um acúmulo em torno de alguns nomes, como Lima Barreto, Oswald de Andrade, Vinicius de Morais e Clarice Lispector. Entre eles não está nem mesmo Mário de Andrade, recordista absoluto no que diz respeito à correspondência, que já está chegando aos vinte volumes. Só resta esperar que tamanha fartura epistolográfica ainda venha a constituir a base para muitas biografias desse grande intelectual.

BIBLIOGRAFIA*

A ERA DAS TRADUÇÕES

Maurois, André (1885-1967). Dedicou volumes a Byron, Shelley, Victor Hugo, Proust, Balzac, Voltaire, Chateaubriand, George Sand, Alexandre Dumas, afora muitos a personalidades não literárias.

Ludwig, Emil (1881-1948). Voltou-se para Bismarck, Wagner, Goethe, Napoleão, o kaiser Guilherme II, Roosevelt, Bolívar, Cristo...

Zweig, Stefan (1881-1942). Biografias de Montaigne, Fouché, Erasmo, Maria Antonieta, Fernão de Magalhães, Balzac, Freud etc.

Van Loon, Hendrik Willem (1882-1944). Privilegiou Rembrandt, Bach, Gutenberg, Bolivar, Jefferson e Gustavo Vasa, o primeiro rei da Suécia. Especializou-se em compêndios abarcando a história da humanidade, do mundo, das artes, da Bíblia, da América, da navegação, do Pacífico (o Mediterrâneo ficaria por conta de Emil Ludwig), da geografia. Traduzido por Monteiro Lobato e editado por sua casa, a Companhia Editora Nacional, inspiraria compêndios similares ao tradutor, que os endereçaria aos leitores infanto-juvenis. Van Loon produziria ainda uma espécie de enciclopédia do biografismo num só alentado volume, *Vidas ilustres* (1942).

* A Biblioteca Mário de Andrade possui quase todas as obras mencionadas, em suas diferentes coleções (Circulante, Coleção Geral, e Raros e Especiais). Consulte o catálogo *online* do Sistema Municipal de Bibliotecas (http://bibliotecacircula.prefeitura.sp.gov.br/pesquisa/), ou, no caso das obras mais antigas, entre em contato com a Biblioteca por *e-mail* ou pessoalmente.

acompanhada por uma coleção de CDs ilustrando os principais momentos da Bossa Nova.

CASTRO, Ruy. *O anjo pornográfico*: a vida de Nelson Rodrigues. São Paulo: Companhia das Letras, 1992. [2.ed., 2007]

▸ *Perfil de nosso maior dramaturgo moderno, Nelson Rodrigues, cuja vida, obra e posições políticas geraram muita polêmica.*

CASTRO, Ruy. *Estrela solitária*: um brasileiro chamado Garrincha. São Paulo: Companhia das Letras, 1995. [última ed., 2006]

▸ *O protagonista é Garrincha, a cujo gênio se deve a beleza do esporte que praticava e uma inocência de trato que gerou muitas histórias.*

CASTRO, Ruy. *A onda que se ergueu no mar*: novos mergulhos na Bossa Nova. São Paulo: Companhia das Letras, 2001. [2.ed., 2006]

CASTRO, Ruy. *Carmen*: uma biografia. São Paulo: Companhia das Letras, 2005. [2.ed., 2011]

▸ *A vida da Pequena Notável, incomparável intérprete do samba e da marchinha de carnaval, formas musicais que, com seu talento e estilo inconfundível, ajudou a fixar.*

GABEIRA, Fernando. *O que é isso, companheiro?*: depoimento. Rio de Janeiro: Codecri, 1979. (Edições do Pasquim, v.66) [teve mais de 40 ed., a última em formato de bolso: São Paulo: Companhia das Letras, 2009]

▸ *O percurso de um guerrilheiro, desde que participou do sequestro do embaixador americano no Rio de Janeiro, até a prisão e o exílio.*

VENTURA, Zuenir. *Chico Mendes*: crime e castigo; quinze anos depois, o autor volta ao Acre para concluir a mais premiada reportagem sobre o herói dos Povos da Floresta. São Paulo: Companhia das Letras, 2003.

▸ *Reúne série de reportagens realizadas quando do auge do movimento dos Povos da Floresta, em defesa da Amazônia, tendo à frente o seringueiro, ambientalista e líder sindical, e completadas quinze anos após seu assassinato.*

Máximo, João; Didier, Carlos. *Noel Rosa*: uma biografia. Brasília: Ed. da UnB; Linha Gráfica, 1990.

▸ *O patriarca do samba carioca e maior compositor desse gênero, morto aos 26 anos, tem uma ampla reconstituição de sua vida, que aproveitou também a tradição oral a seu respeito.*

Ramos, Caio Silveira. *Sambexplícito*: as vidas desvairadas de Germano Mathias. São Paulo: A Girafa, 2008.

▸ *O expoente do samba paulista tem seu percurso e seu estilo reconstruídos neste livro, que contou com a colaboração do biografado.*

BIOGRAFIAS LITERÁRIAS

Ellman, Richard. Ficaria conhecido por duas biografias modelares de escritores britânicos: as de James Joyce e de Oscar Wilde.

Meyers, Jeffrey. Contam-se entre as dezenas de seus biografados Scott Fitzgerald, Joseph Conrad, Edgard Allan Poe, Katherine Mansfield, Hemingway, Robert Lowell, D.H. Lawrence, T. E. Lawrence, Robert Frost, Edmund Wilson e Somerset Maugham.

Painter, George. *Marcel Proust*: a biography. London: Chatto & Windus, 1959-1965. [4.ed., London: Random House, 1996]

▸ *Autor da primeira biografia completa de Marcel Proust, com base em fontes primárias, tendo à vista os* cahiers *e os* carnets.

Tadié, Jean-Yves. *Marcel Proust*: biographie. Paris: Gallimard, 1996.

▸ *Autor da mais recente biografia de Proust (e responsável pela nova edição crítica de* À la recherche du temps perdu, *publicada pela Pléiade).*

Bréchon, Robert. *Estranho estrangeiro*: uma biografia de Fernando Pessoa. Rio de Janeiro: Record, 1996. [2.ed., 1999]

▸ *O autor francês é responsável pela primeira grande biografia do poeta português escrita por um estrangeiro.*

Werneck, Humberto. *O santo sujo*: a vida de Jayme Ovalle. São Paulo: Cosac Naify, 2008

▸ *Sobre este músico e poeta, encarnação do espírito modernista, que nunca publicou um livro. A biografia é modelar na pesquisa das parcas e instigantes alusões de uma rica crônica (em Macunaíma, num poema de Manuel Bandeira...). Sua bela modinha Azulão continua a ser gravada pelas maiores sopranos líricas do mundo. Um enigma, era amigo de todo mundo e dele muito se falava, mas nada se sabia. Entre outras bizarrices, inventou até um santo, aquele do título do livro.*

Souza, Laura de Mello e. *Cláudio Manuel da Costa*. São Paulo: Companhia das Letras, 2011

▸ *O maior poeta do Arcadismo e um dos maiores da literatura brasileira tem seu percurso esmiuçado por uma grande historiadora e especialista no Brasil colônia. A partir de fragmentos, a autora reconstrói com rigor as peripécias que o tornaram uma das lideranças sociais, políticas e culturais das Minas Gerais de Ouro Preto, as mesmas que o levaram a um triste papel na Inconfidência Mineira, culminando em suicídio. Um trabalho exemplar.*

TRABALHOS TEÓRICOS

Lejeune, Philippe. *O pacto autobiográfico*: de Rousseau à internet; trad. de Jovita Maria Gerheim Noronha e Maria Inês Coimbra Guedes. Belo Horizonte: Ed. UFMG, 2008 [Le pacte autobiographique. Paris: Éd. du Seuil, 1975].

Lejeune, Philippe. *Je est un autre*: l'autobiographie, de la littérature aux médias. Paris: Éd. du Seuil, 1980.

Lejeune, Philippe. *Moi aussi*. Paris: Éd. du Seuil, 1986

▸ *O teórico francês dedica-se a explorar as bases e a estrutura desse gênero típico da modernidade.*

Meyers, Jeffrey. *The craft of literary biography*. London: Macmillan, 1985.

Meyers, Jeffrey. *The biographer's art: new essays*. New York: New Amsterdam, 1989.

Meyers, Jeffrey. *The spirit of biography*. Ann Arbor: umi Research Press, 1989.

▸ *O prolífico autor consagrado aos escritores (com incursões por atores de cinema) aproveita sua prática para produzir teoria.*

Vianna Filho, Luiz. *A verdade na biografia*. Rio de Janeiro: Civilização Brasileira, 1945.

▸ *Depois de escrever várias biografias, o autor tece considerações sobre as delicadas relações entre a fidedignidade das revelações e o cotejo com a realidade documental.*

Galvão, Walnice Nogueira. *As musas sob assédio*: literatura e indústria cultural no Brasil. São Paulo: Senac sp, 2005

▸ *Uma análise que interroga a ficção contemporânea, o surgimento do biografismo e o estágio atual da língua portuguesa do Brasil.*

Revista da Biblioteca Mário de Andrade. São Paulo:
Departamento Biblioteca Mário de Andrade, 1992-

Anual.
Continuação, a partir do n. 50 de 1992, do Boletim
Bibliográfico.
ISSN 0104-0863.

1. Literatura – Periódicos

CDD 805

Grafia atualizada segundo o Acordo Ortográfico da Língua Portuguesa de 1990, em vigor no Brasil desde 2009.

Impresso no Brasil, 2012

A despeito do empenho dos editores, não foi possível obter a identificação de todas as pessoas fotografadas e créditos fotográficos que compõem a presente obra. Caso o leitor tenha conhecimento dessas informações e queira contribuir, a Biblioteca Mário de Andrade e a Imprensa Oficial do Estado de São Paulo agradecem e se comprometem a inseri-las em futuras reedições.

BIBLIOTECA MÁRIO DE ANDRADE
Rua da Consolação, 94
01302-000 São Paulo SP
Tel. 11 3256-5270
www.bma.sp.gov.br
bma@prefeitura.sp.gov.br

IMPRENSA OFICIAL DO ESTADO DE SÃO PAULO
Rua da Mooca, 1.921 Mooca
03103-902 São Paulo SP
PABX 11 2799 9800
Sac 0800 0123 401
sac@imprensaoficial.com.br
livros@imprensaoficial.com.br
www.imprensaoficial.com.br

REVISTA DA BIBLIOTECA MÁRIO DE ANDRADE
Volume 67, dezembro de 2011

Diretora editorial	Maria Christina Barbosa de Almeida
Editor executivo	Bruno Zeni
Design e editoração eletrônica	Negrito Produção Editorial
Comissão editorial	Marcelo Dias de Carvalho
	Maria Christina Barbosa de Almeida
	Rízio Bruno Sant'Ana
	William Okubo
Apoio na seleção de imagens	Maria Luisa Pestilla Tippi
Reprodução de imagens do acervo	Motivo
Apoio à produção	Angélica Germani Moura
	Rita de Cássia Guglielmi Rua

IMPRENSA OFICIAL DO ESTADO DE SÃO PAULO

Coordenação editorial	Cecília Scharlach
Assistência editorial	Francisco Alves da Silva
	Tais Mattos
Assistência à editoração	Teresa Lucinda F. Andrade
	Marli Santos de Jesus
CTP, Impressão e Acabamento	Imprensa Oficial do Estado de São Paulo

Lançamentos 2012

No Mar
At Sea
Luise Weiss
Texto bilíngue: inglês | português
Edição: Imprensa Oficial

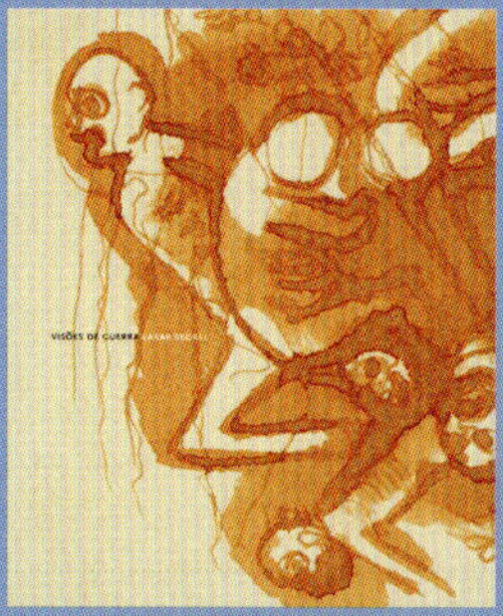

Visões de Guerra:
Lasar Segall
Celso Lafer, Jorge Coli e
Berta Waldman (textos)
Coedição: Imprensa Oficial |
Museu Lasar Segall | Centro da
Cultura Judaica

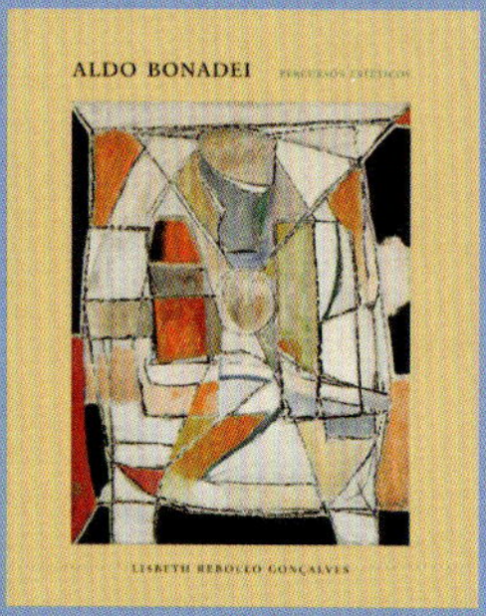

Aldo Bonadei:
percursos estéticos
Lisbeth Rebollo Gonçalves
Coedição: Imprensa Oficial | Edusp

Pixinguinha
– Inéditas e
Redescobertas
Bia Paes Leme, Pedro
Aragão e Paulo
Aragão (orgs.)
Coedição: Imprensa Oficial |
Instituto Moreira Salles

Estrela breve,
Lupe Cotrim:
uma biografia
literária
Leila V. B. Gouvêa
Edição: Imprensa Oficial

Imagens da Nação
Maria Beatriz Coelho
Coedição: Imprensa Oficial |
Editora UFMG | Edusp

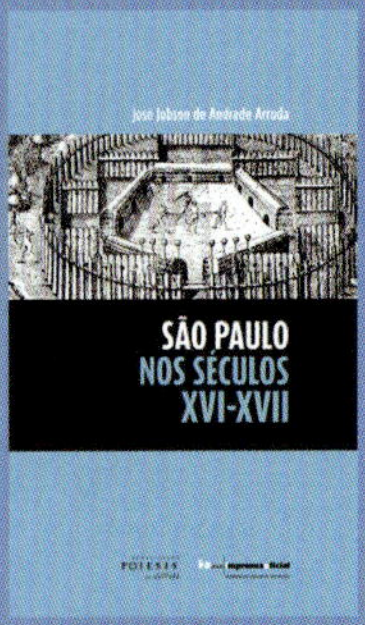

São Paulo nos
Séculos XVI-XVII
José Jobson de
Andrade Arruda
Coedição: Imprensa Oficial |
POIESIS

São Paulo no
Século XVIII
Francisco Vidal Luna
Coedição: Imprensa Oficial |
POIESIS

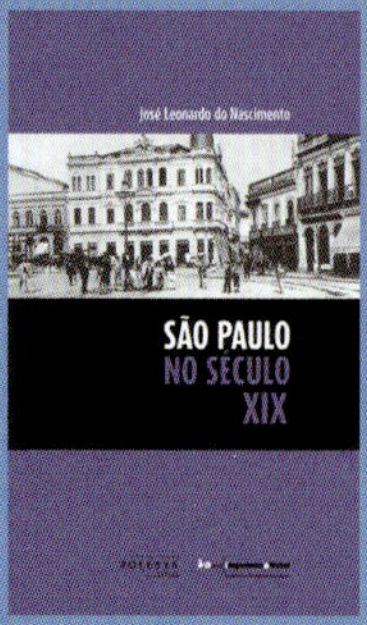

São Paulo no
Século XIX
José Leonardo do
Nascimento
Coedição: Imprensa Oficial |
POIESIS

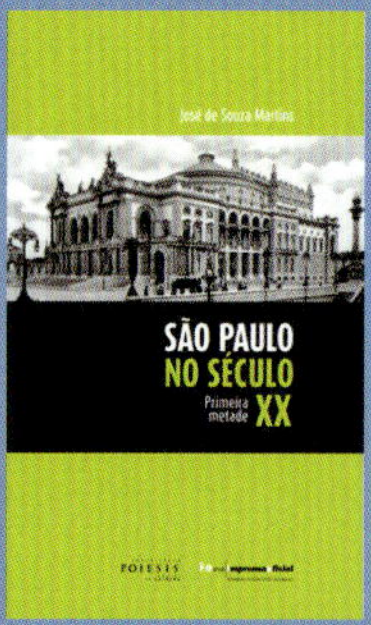

São Paulo no
Século XX
Primeira metade
José de Souza Martins
Coedição: Imprensa Oficial |
POIESIS

São Paulo no
Século XX
Segunda metade
Tania Regina de Luca
Coedição: Imprensa Oficial |
POIESIS

Ilustração | ©Jaguar, p. 25

— Aqui diz: "Todos os direitos de tradução e reprodução reservados".

O melhor da Senhor
Ruy Castro (org.)
Maria Amélia Mello (concepção e coord.)
Edição: Imprensa Oficial

Uma Senhora Revista
Ruy Castro (org.)
Maria Amélia Mello (concepção e coord.)
Edição: Imprensa Oficial

Esta publicação de número 67 foi composta em janson text pela Negrito Produção Editorial em papel couché fosco em dezembro de 2011, 200º ano do nascimento do poeta Gonçalves de Magalhães, que marcou a primeira fase do Romantismo no Brasil, 180º ano do nascimento do poeta Álvares de Azevedo autor de *Lira dos vinte anos*, 170º ano do nascimento do poeta romântico Fagundes Varela, 150º ano da morte de Manuel Antônio de Almeida, autor das *Memórias de um sargento de milícias*, 140º ano da morte do poeta Castro Alves, 130º ano do nascimento de Lima Barreto, autor de *Triste fim de Policarpo Quaresma*, 120º ano da criação da Imprensa Oficial do Estado de São Paulo, 50º ano da renúncia de Jânio Quadros à presidência da República e 20º ano da desintegração da União das Repúblicas Socialistas Soviéticas, pondo fim à Guerra Fria. Impressa nas oficinas gráficas da Imprensa Oficial do Estado de São Paulo em 2012.